Annie M. G. Schmidt
Wiplala

Met tekeningen van Jenny Dalenoord

Amsterdam
Em. Querido's Uitgeverij b.v.
1987

Eerste, tweede en derde druk, 1957; vierde druk, 1959; vijfde druk, 1960; zesde druk, 1962; zevende druk, 1963; achtste en negende druk, 1966; tiende druk, 1967; elfde druk, 1969; twaalfde druk, 1972; dertiende druk, 1974; veertiende en vijftiende druk, 1978; zestiende druk, 1982; zeventiende druk, 1983; achttiende druk, 1985; negentiende druk, 1987.

ISBN 90 214 3155 6 / NUGI 221

Inhoud

Dit is meneer Blom.

En dit is Johannes.

En dit is Nella Della.

En dit is het huis, waarin ze wonen. Ziezo. O ja, dat had ik bijna vergeten: ze
hebben een poes die Vlieg heet. Kijk hier.

Ze hebben niet een vlieg die Poes heet,
maar dat hoeft ook niet, vind je wel? Dit
is alles, voorlopig. VOORLOPIG. En nu
begint het verhaal.

Hoofdstuk 1 *Vlieg heeft iets gevangen*

Meneer Blom zat te tikken op zijn schrijfmachine. Het was een heel oude, heel hoge schrijfmachine, die verschrikkelijk veel lawaai maakte. Meneer Blom was een geleerde en hij was bezig een boek te schrijven dat heette: *Politieke Spanningen in de Middeleeuwen*. Een heel geleerd boek dus.

Het was voorjaar maar het regende en ze zaten thuis. Johannes en Nella Della waren bezig auto's uit te knippen uit de krant. Mooie nieuwe merken auto's. Met twee grote scharen. Het theewater ruiste op het kacheltje, de regen kletste in vlagen op de ruiten, de poes Vlieg zat zich te likken en alles was verder rustig.

'Ik wou dat er iets gebeurde,' zei Nella Della. 'Ik wou dat we een vliegend Tapijt hadden of ik wou dat er iemand van de maan kwam met een vliegend schoteltje!'

'Stil!' riep meneer Blom. 'Ik kan niet werken!'

'Ik wou dat we een ijsje kregen,' fluisterde Johannes, 'en dat we een echte auto hadden.'

'We hebben een saai leven,' zei Nella Della. 'Er gebeurt te weinig.'

'Geef me nog een kopje thee,' zei meneer Blom.

'Je hebt nog geen thee gehad, vader,' zei Nella Della. 'Ik moet nog thee zetten.'

'O nou, doe dat dan.'

Nella Della ging thee zetten in de mooie blauwe thee-pot. Ze deed de kast open om het theebusje te pakken. De poes Vlieg stak ook zijn neus in de kast en snuffelde op de onderste plank.

'Wat is er Vlieg? Ruik je muisjes? Vlieg!'

'Mauw,' zei Vlieg. Ze was een poes die altijd antwoord gaf. Een heel verstandige, wijze poes was ze.

'Kom er nou maar uit,' zei Nella Della. 'Wat zoek je toch daar op de onderste plank – wat – je hebt toch geen muis – Vlieg!'

Nella Della zag een heel klein IETS wegrennen door de kamer. Vlieg stoof er achteraan, langs de richel, en ze verdween in de donkerste hoek van de kamer, achter de divan.

'Wat is er – heeft ze een muis?' vroeg Johannes.

'Ja, een muis of zoiets. Vlieg, wat heb je toch?'

'Wat is dat voor een lawaai?' zei meneer Blom. 'Waarom maken jullie zo'n herrie? Ik kan niet opschieten.'

'Vlieg heeft iets, een muis of zo,' zei Nella Della en ze probeerde te zien wat daar was, achter de divan. Ze hoorde een gek geluidje, ze hoorde Vlieg blazen, er was een kort gevecht en toen ineens was het doodstil. Vlieg zat daar in de hoek. Als een klein poesestandbeeld zo stil zat ze daar.

Nella Della greep achter de divan en dat was heel dapper van haar. 'Ik heb 'm,' zei ze. Ze voelde iets spartelen in haar hand. Johannes kwam aanlopen om te zien wat ze had gevangen. Maar het spartelende ding gaf zulke gekke geluiden – ze nam het mee naar de tafel, waar het licht was en daar opende zij haar hand.

Op de hand van Nella Della stond een klein mannetje. Een gek mannetje. Een heel gek klein mannetje, met borstelige haartjes, boze oogjes, een zwart broekje, een klein bettel-dresje en een wollen sjaaltje om zijn halsje. Hij keek Nella Della kwaad en toch ook angstig aan. Hij had radeloze oogjes en hij liet zijn tandjes zien.

Nella Della en Johannes stonden sprakeloos naar het wonder te kijken maar meneer Blom had niets gemerkt. Hij tikte verder aan de Politieke Spanningen in de Middeleeuwen.

'Vader!' riep Johannes. 'Vader, kijk toch eens!'

'Stil!' riep meneer Blom. 'Ik kan niet werken.'

'Maar je móét kijken, vader,' zei Nella Della. Ze had haar hand wat steviger om het kleine mannetje heen gelegd, zodat hij niet kon ontsnappen.

Meneer Blom keek. 'Wat is dat?' vroeg hij wat korzelig, alsof hij boos was dat ze hem om zo'n kleinigheid gestoord hadden. 'Is dat een kabouter? Kabouters bestaan niet. Dus dit kan helemaal niet. En laat me nou werken.'

'Maar vader, hij IS er,' zei Johannes. 'Hier, kijk dan.'

'Hoe heet je?' vroeg hij aan het kleine wezentje. 'Wie ben je? Wat ben je?'

Het ventje zei niets.

'We zullen je geen kwaad doen,' zei Nella Della. 'Ben je een kaboutertje?'

'Ik bén geen kaboutertje,' zei het mannetje verontwaardigd. 'Ik ben een wiplala.'

'O,' zei Nella Della. 'Wat is een wiplala?'

'Dat wat ik ben,' zei het ventje. 'Dat is een wiplala.'

'Je bent een wiplala,' zei Johannes. 'En hoe heet je?'

'Ik heet Wiplala,' zei het wezentje. 'Dat zei ik je toch?'

'Zo. Dus je bént een wiplala, en je heet ook Wiplala?'

'Ja.'

'En waar kom je vandaan?' vroeg Nella Della. 'Nee, wees niet bang. Ik zet je hier neer, op de tafel. Pas op, stoot je niet tegen de theepot.'

'Waar blijft mijn thee?' vroeg meneer Blom en hij keek over de tafel. 'Wel verdraaid, is die kabouter er nog al?'

'Hij is geen kabouter, vader,' zei Johannes. 'Hij is een wiplala en hij heet ook Wiplala.'

Nu begon meneer Blom toch een beetje ongerust te

worden en hij stond op om zich over Wiplala heen te buigen. 'Wat moet je hier en waar kom je vandaan?' vroeg hij een beetje bars.

Wiplala ging zitten, op de tafel. Hij sloeg zijn handjes voor zijn gezichtje en begon te huilen. 'Ik ben weggestuurd door de andere wiplala's,' snikte hij.

'Ach,' zei Nella Della, 'wat naar voor je. Weggestuurd door je eigen vriendjes?'

'Ja,' jammerde Wiplala.

'En toen?'

'Toen ben ik door een mollegang gelopen, heel ver, heel ver, en toen kwam ik ineens hier op de onderste plank van jullie kast terecht. En toen zag ik de pot met pindakaas en daar heb ik van gesnoe-hoe-hoept...'

'Dat heb je ervan, als je de pindakaas op het onderste plankje zet,' zei meneer Blom. 'Op die manier komen er muizen en kabouters op af.'

'Ik ben geen kabouter,' zei Wiplala. 'Ik ben een wiplala.'

'Goed, een wiplala,' zei meneer Blom sussend. 'En wat zijn de bedoelingen verder, meneer Wiplala?'

Het ventje hief zijn betraande gezichtje naar al die grote mensen op en Johannes zei: 'Kijk toch eens naar Vlieg! Die staat nu al een halfuur lang doodstil op dezelfde plaats in de hoek. Vlieg, wat doe je toch? Kom toch hier, Vlieg!'

Maar Vlieg zei helemaal geen mauw of mieuw meer. Vlieg zweeg en stond daar maar doodstil. En Wiplala keek schuldbewust.

'Vlieg!' riep Nella Della verschrikt en ze rende naar de poes. Ze raakte haar aan maar trok verbijsterd haar handje terug. 'Zij is – zij is – een stenen poes geworden!' riep ze.

In een oogwenk was Johannes bij haar en hij nam de stenen poes op. 'Ja, een stenen poes. Een mooie zwart-witte stenen poes.'

Meneer Blom nam de kleine wiplala tussen zijn vingers en keek hem streng aan. 'Wat heb jij met die poes uitgevoerd?' vroeg hij.

'Ik heb hem betinkeld,' zei Wiplala.

'Betinkeld? Je hebt hem betoverd,' zei Nella Della. 'Je hebt hem in steen veranderd.'

'Wij noemen dat niet toveren, maar tinkelen,' zei het kleine mannetje. 'En als ik hem niet had betinkeld, dan zou hij me hebben opgegeten. Hij speelde al met me. Hij sloeg naar me met zijn griezelige nagels! Ik móést hem betinkelen!'

'Wil je dan zo goed wezen hem onmiddellijk weer terug te betinkelen?' zei meneer Blom. 'Of anders...' en hij kneep het kleine wezentje tussen zijn vingers.

'Pas op, pas op, vader!' zeiden de kinderen. Maar het was al te laat. Wiplala bewoog zijn handjes heel vlug en heel wonderlijk heen en weer, en meneer Blom was versteend. Maar dan ook letterlijk versteend. Hij was een stenen vader geworden met een stenen snor en stenen kleren.

'O, o, wat heb je gedaan, Wiplala!' riepen Johannes en Nella Della. 'Wat heb je met onze vader gedaan?'

'Betinkeld,' zei Wiplala trots.

'O lieve Wiplala, betinkel hem dan toch terug,' zeiden de kinderen. 'Hij is de enige vader die we hebben en hij is zo lief. En zo knap. En hij werkt zo hard en hij brengt ons 's avonds naar bed en hij vertelt ons verhaaltjes en hij gaat met ons naar Artis! Wiplala, betinkel vader direct terug, hoor je!'

'Maar hij wil me kwaad doen,' zei Wiplala trillend.

'Nee, nee, we beloven je dat hij niets zal doen. Heus, we staan ervoor in. O, alsjeblieft.'

Wiplala bewoog zijn handjes weer, op die gekke rappe manier, en meneer Blom bewoog. Zijn ogen waren niet meer stenen ogen, zijn armen waren niet meer stenen armen. Hij lachte weer en hij riep: 'Waar blijft nu mijn thee?'

'Ik zal thee zetten, vader,' zei Nella Della stralend van geluk.

'Ik heb geloof ik geslapen,' zei meneer Blom. 'Wat gek. Had jij dat gedaan, kleine misselijke kabouter?'

'Wees lief voor hem, vader,' zei Johannes.

'Hij is een klein tovenaartje,' riep Nella Della, terwijl ze kokend water in de theepot schonk. 'Hij kan alles. Hij kan mensen en dieren in steen veranderen. Wil je ook een kopje thee, Wiplala?'

Wiplala zat nog steeds boven op de tafel. Hij legde een vingertje tegen zijn voorhoofd en zei: 'Wat gek – o wat gek – ik kon het!'

'Wat kon je, Wiplala?'

'Ik kon de poes betinkelen en ik kon die heer betinkelen. En ik kon die heer weer terugbetinkelen.'

'Ja,' zei Johannes. 'Wij vinden het erg knap.'

'En toch ben ik weggestuurd bij de andere wiplala's, omdat ik niet kon tinkelen,' zei Wiplala. 'Ik was een prutser, zeiden ze. Het lukte bij mij nooit. Ik moest een Proef afleggen en het mislukte allemaal. Ik kon niet tinkelen. En nu ineens kan ik het wel.'

'Ja zeker,' zei Nella Della. 'Alleen moet je onze poes nog terugbetinkelen, weet je wel? Vergeet dat vooral niet.'

'Ik durf het niet,' zei Wiplala. 'Dan eet hij me op.'

'Nee,' zei meneer Blom, 'ik zal ervoor zorgen dat hij je niet opeet. Als Vlieg merkt dat je een vriendje van ons bent, dan eet hij je niet op.'

'Ben ik dan een vriendje van jullie?' vroeg Wiplala, blij verrast.

'Natuurlijk ben je een vriendje van ons. We vinden het fijn dat je hier bent.'

'Ja,' zei Johannes, 'en je mag hier wonen en je mag hier slapen en uitgaan met ons. En bij ons eten. Maar je moet Vlieg terugbetinkelen.'

'Goed dan,' zei Wiplala. 'Op jullie verantwoording.' Hij stak zijn handjes in de lucht en bewoog ze snel heen en weer. Vlak voor de stenen ogen van de poes.

Maar er gebeurde niets. Vlieg was van steen en bleef van steen.

Wiplala werd zenuwachtig en probeerde het nog eens. Maar het bleef een stenen poes. Hij werkte nu heel hard en heel zenuwachtig met zijn handjes. Zijn oogjes puilden uit van inspanning en er kwamen heel kleine zweetdruppeltjes op zijn heel kleine voorhoofdje. Het lukte niet. De poes bleef van steen.

'O,' jammerde Nella Della. 'Het gaat niet.'

'Nee, het gaat niet,' zei Wiplala wanhopig. 'Zie je wel – ik kan niet tinkelen. Ik kan het SOMS, per ongeluk. En dan ineens kan ik het niet meer. Ze hebben groot gelijk, de andere wiplala's. Ik ben een prutser.'

'Nou,' zei meneer Blom, 'dát is dan mooi. Een stenen kat en een wiplala die niet kan tinkelen. Die SOMS kan tinkelen en SOMS niet.' En meneer Blom begon weer boos te worden.

'Niet kwaad worden!' riepen Nella Della en Johannes tegelijk. 'Hij kan het niet helpen, nietwaar Wiplala, je kunt het niet helpen? Misschien ben je een beetje moe, misschien moet je eerst een beetje slapen. Morgen kun je onze poes weer terugbetinkelen, is het niet zo?'

'Ik denk het wel,' zei Wiplala weifelend. 'Ik hoop het, ik zal het proberen.'

'Kom, we gaan boterhammen eten bij de thee,' zei Nella Della en ze ging samen met Johannes aan de slag. Ze dekten de tafel en zorgden voor het avondeten. Wiplala kreeg een poppestoeltje boven op tafel. En een poppetafel en een poppebordje en een poppebekertje van plastic. Hij kreeg een boterham in heel kleine dobbelsteentjes gesneden. Met pindakaas, en hij werd steeds vergenoegder. Hij zong van geluk. Hij zong:

> *Wiplala Wiplala, buiten in 't woud,*
> *'s winters is 't loeiend en 's zomers is 't koud.*
> *Mosterd en suiker en koffie en zout,*
> *Wiplala Wiplala, buiten in 't woud.*

'Dat is een vreemd liedje,' zei meneer Blom. 'Een onjuist liedje ook. Het IS 's winters niet gloeiend en het IS 's zomers niet koud. Je bedoelt het omgekeerd.'

'Bij ons,' zei Wiplala, 'is het 's winters gloeiend en 's zomers koud.'

'O,' zei meneer Blom, 'dus jullie wonen op het zuide-

16

lijk halfrond, als ik het goed begrijp.'

'Ik woon helemaal niet op een halfrond,' zei Wiplala. 'Ik woon, om precies te zijn, helemaal nergens meer.' En hij begon weer te huilen en hele kleine traantjes vielen in zijn heel kleine plastic bekertje.

'Niet huilen, Wiplala,' zei Nella Della. 'Kom maar hier, ik zal je strakjes naar bed brengen. We gaan een heel prachtig bedje voor je maken. In mijn poppereiswieg mag je slapen. En ik zal je uitkleden.'

'Dat kan ik zelf wel,' zei Wiplala.

'En morgen, na 't ontbijt, betinkel je de kat weer terug,' zei meneer Blom.

Ze gingen allemaal slapen. Midden in de nacht werd Nella Della wakker van een klein handje op haar gezicht.

'Wat is er? Wie is dat?'

'Ik ben het,' zei Wiplala's stemmetje. 'Ik heb de poes terugbetinkeld. Ik kon niet slapen, ik dacht: wacht, nog even proberen. En het ging!'

'O, wat heerlijk,' zuchtte Nella Della.

'Maar nu zit hij voor je bed,' zei Wiplala, 'en ik ben zo bang voor hem.'

'Kom dan maar hier, kleine Wiplala,' zei Nella Della. Ze stopte hem in de mouw van haar pyjama en daar ging Wiplala heerlijk rustig slapen.

Hoofdstuk 2 *De stenen dichter*

'En nou is het uit!' bulderde meneer Blom. 'Ik wil het niet meer hebben! Kijk nou toch weer eens. IJs! IJs met slagroom! In plaats van die goeie hutspot die op tafel stond!'

Nella Della en Johannes keken verslagen.

'Dat we een Wiplala in huis hebben is tot dáár aan toe!' blafte meneer Blom. 'Maar laat het uit zijn met dat getinkel!'

Tja, daar zaten ze nu. Nella Della had hutspot gekookt met uien en klapstuk. Maar toen ze allemaal aan tafel zaten, had Johannes gezegd: 'Ik lust geen hutspot, ik heb liever ijs.' En daar had die stoute Wiplala de hele schaal met hutspot veranderd in een schaal vol vanilleijs. En nu was er niets anders te eten dan ijs. De kinderen vonden het zalig en verrukkelijk, maar hun vader had de hele dag hard gewerkt aan zijn boek. Hij had honger. En hij wou goed en voedzaam eten. En niet alleen ijs. 'Verander het weer in hutspot,' zei meneer Blom. 'En gauw.'

Wiplala zat, zoals altijd bij de maaltijden, op zijn poppestoel boven op de tafel. Hij bewoog nu zijn handjes zenuwachtig over de grote schaal ijs. Het ijs werd groen. Het ijs werd heet, het dampte. Ze keken allemaal, ze snoven de geur op. Het was boerenkool geworden. 'Is dat hutspot?' riep meneer Blom.

'Nee, boerenkool,' zei Wiplala. 'Het werd vanzelf boerenkool. Ik kan nog niet zo érg goed tinkelen, ziet u. Het wordt weleens wat anders dan ik wil.'

'Hm,' zei meneer Blom. 'Nou goed, dan eten we boerenkool. Beter dan ijs. Maar zoals ik jullie al zei: Van nu af aan is het uit met dat getinkel. Je mag hier blijven wonen, Wiplala, we zullen goed voor je zorgen, maar asjeblieft geen toverkunsten meer. Ik wil weten waar ik aan toe ben. Als iedereen er maar op los tinkelt, dan weet niemand meer waar hij aan toe is. Begrepen?'

Wiplala had een heel schuldig gezichtje. Hij kreeg ook een beetje boerenkool en ze aten allemaal zwijgend. Het lekkere ijs was weg. En daar ging de deur open en op de drempel stond nu buurman, Arthur Hollidee. Hij was een dichter. 'Hallo,' zei hij treurig.

'Hallo Arthur,' zei meneer Blom. 'Eet je een hapje boerenkool mee?'

'O graag,' zei Arthur Hollidee. Hij had altijd honger want hij was een dichter. Hij had honderdzevenenveertig boekjes met gedichten geschreven maar niemand wou ze ooit lezen en niemand wou de boekjes kopen. En daarom was hij arm en had hij honger.

'Gaat u zitten, meneer Hollidee,' zei Nella Della. 'Dan haal ik even een bord erbij.'

Arthur Hollidee ging zitten. 'Hee!' zei hij. 'Wat is dát?'

Hij keek naar Wiplala en deinsde achteruit. 'Dat is – wat is...'

'Dat is Wiplala,' zei Johannes. 'Wiplala, dit is meneer Arthur Hollidee. Hij is een groot dichter.'

Nella Della gaf de dichter een bord in z'n handen. Hij bleef wezenloos met het bord op zijn knieën zitten en keek naar Wiplala.

'Een – een – echt kaboutertje,' stamelde hij.

'Ik ben geen kabouter,' zei Wiplala 'Ik ben een...'

De dichter luisterde niet. Hij begon te stralen van geluk en zei: 'Jij bent een kabouter! Mijn hele leven heb ik al een echte kabouter willen zien. En er eentje willen hebben! Ik neem jou mee naar huis. Ik zal je in mijn bureau stoppen. Je bent MIJN kabouter.' Hij strekte zijn hand uit.

'Nee nee!' schreeuwde Wiplala. 'Nee nee, ik wil niet!'

'Ik neem je mee naar...' begon de dichter, maar ineens verstarde zijn hand. En zijn glimlach verstarde. En zijn ogen verstarden. Daar zat hij op zijn stoel, een bord in de ene hand, de andere hand uitgestrekt. Hij was versteend. Hij was een stenen dichter.

'O Wiplala,' zei Johannes.

'Lieve Wiplala,' zei Nella Della. 'Alweer?'

'Wat is dat?' riep meneer Blom. 'Heb jij... wel verdraaid, en we hadden nog zó afgesproken dat het uit is met je getinkel. He? Hoe durf je!'

'Hij wou me meenemen,' zei Wiplala. 'Hij is een boze man. Ik heb hem betinkeld.'

'Hij is geen boze man,' zei Nella Della. 'Hij is een hele lieve, goeie man. Een dichter, je moet hem weer terugbetinkelen, Wiplala.'

'Dat zal wel weer niet lukken,' zei meneer Blom wrevelig. 'Je kan hem zeker niet terugbetinkelen, he?'

'Ik zal het proberen,' zei Wiplala. En hij probeerde het. Hij wriemelde weer heel mysterieus met zijn handjes. Maar het ging niet.

En daar zat de stenen dichter voor de boerenkool en hij lachte zo vreemd met zijn stenen glimlach.

'Daar zitten we nou,' zei meneer Blom. 'Met een stenen Arthur Hollidee. Wat moeten we nu doen?'

'Laten we eerst maar verder eten,' zei Nella Della. 'Over een uurtje lukt het wel weer.'

Ze aten zwijgend hun boerenkool. En de hele middag was Wiplala bezig om de dichter weer te veranderen in een levende dichter. Maar hoe hij ook werkte, het hielp niets. De man bleef van steen.

En na het eten zei meneer Blom: 'Laten we hem maar in de hoek zetten want nu zit hij me in de weg.'

Ze waren net met hun drieën bezig de arme stenen dichter te verslepen toen de deur openging en juffrouw Hollidee binnenkwam. Zij was de zuster van de dichter, en woonde in het huis naast hen.

'Is Arthur hier ook?' vroeg ze. Toen zag ze het stenen beeld en gaf een gil. 'Wat is dat? Is hij – wat is er aan de hand?' riep ze angstig.

'Lieve Emilia,' zei meneer Blom. 'Het komt wel weer in orde, maak je niet ongerust. Het kómt heus in orde.'

'Maar hij is – het is een bééld,' riep Emilia Hollidee.

'Ja,' zeiden Nella Della en Johannes. 'Hij is in steen veranderd.'

'Hoe komt dat?' vroeg ze vinnig.

'Tja – kijk, ik weet het niet,' zei meneer Blom. Hij had

vlug Wiplala in zijn zak gestoken, want hij had geen zin om het hele verhaal aan haar uit te leggen, en bovendien vond hij het beter wanneer Emilia niets afwist van de kabouter. Ze zou het toch niet begrijpen.

'Ik denk dat het van de honger is,' zei meneer Blom. 'Je geeft hem niet genoeg te eten, Emilia. Daar versteen je van.'

'Van de... ach,' snikte Emilia. 'Ja, wij lijden honger. We zijn allebei broodmager. Denkt u heus dat hij daardoor versteend is? Van de honger? Kan dat?'

'Absoluut,' zei meneer Blom. 'Ik ben er zeker van.'

'En wat moet ik nu met hem doen?' zei Emilia.

'Laat hem hier maar staan,' zei meneer Blom. 'Hij staat ons niet in de weg of, liever gezegd, hij zit ons niet in de weg, want hij zit.'

'Nee,' zei Emilia heel beslist. 'Ik neem hem mee. Ik zal hem in de voorkamer zetten.'

'Weet je zeker dat je hem mee wilt nemen?'

'Ja, heel zeker.' En ze probeerde haar stenen broer op te tillen. Maar hij was te zwaar. Hij zat vast aan de stoel die ook van steen was geworden.

'Niet zo wriemelen, Wiplala,' zei meneer Blom tegen zijn zak.

'Wat zei u?' vroeg Emilia.

'O niets. Ik zei niets. Nou, als je hem dan mee wilt nemen, dan zullen wij je helpen. Kom Nella Della, kom Johannes. We pakken hem op.'

Met hun vieren pakten ze de dichter op en sleepten hem naar de voordeur. Hij kon er haast niet door. Het was een toer, maar eindelijk stonden ze op straat.

Zo, nu verder. Och, och, wat was die Arthur Hollidee

zwaar nu hij van steen was. Ze hoefden enkel maar tot aan het huis ernaast, maar zelfs dat was te ver. En ze zetten hem midden op straat om een beetje uit te rusten.

'Kijk kijk, wat is dat nu, een standbeeld?' vroeg een stem.

Ze keken op. Het was de burgemeester die zijn middagwandeling maakte.

'Een standbeeld?' vroeg de burgemeester. 'En daar weet ik niets van. Wel wel, dat is onze dichter, zie ik. Onze dichter Arthur Hollidee. Wat een kunstwerk! Het is hem sprekend. Welke beeldhouwer heeft dat gemaakt?'

'Eh – oh, iemand van buitenaf,' zei meneer Blom.

'Het is Arthur zelf,' begon Emilia, maar Nella Della en Johannes vielen haar in de rede en begonnen druk te praten.

'Een mooi standbeeld, nietwaar?' zeiden ze. 'Ja, wij zijn er ook zo verrukt van.'

'Het moet hier op dit pleintje staan,' zei de burgemeester. 'Kijk, hier moet het staan, vindt u niet? En ik zal het onthullen.'

Hij begon te glimlachen. De burgemeester was namelijk dol op onthullen. Hij deed niets liever dan standbeelden onthullen.

'Haalt u even een laken,' zei hij tegen Emilia. 'Een groot beddelaken.'

De onthutste Emilia deed direct wat haar was bevolen en haalde een laken uit haar huis.

'Zo,' zei de burgemeester. 'Kijk, we zetten het standbeeld hier. Wilt u even helpen?'

Meneer Blom en de kinderen sleepten hijgend het

24

standbeeld op de aangewezen plek.

'En nu het laken erom,' zei de burgemeester. 'Ik zal onmiddellijk laten omroepen en afkondigen dat vanavond hier het standbeeld wordt onthuld van onze beroemde stadgenoot en dichter, de heer Arthur Hollidee.'

Het was vijf minuten voor zeven. Het hele plein stond vol mensen, die druk en opgewonden praatten. 'Wie z'n standbeeld, zei je?' vroeg een man.

'Van Arthur Hollidee, de dichter.'

'Nooit van gehoord,' zei de man.

'O, maar hij is een beroemd dichter. Heel beroemd. Heb je z'n gedichten nooit gelezen? O, maar dat moet je doen! Prachtig!'

'Arthur Hollidee,' fluisterden de mensen. 'Eindelijk een standbeeld voor Arthur Hollidee, de beroemde dichter.'

Tussen al dat volk stonden meneer Blom en zijn kinderen. En Wiplala zat in zijn zak.

'Niet zo wriemelen, Wiplala, blijf rustig zitten.'

Daar kwam de burgemeester; hij besteeg een klein platform dat daar vanmiddag was getimmerd. Iedereen was stil. 'Stadgenoten,' zei de burgemeester plechtig. 'Het is vandaag een grote dag. Het standbeeld van onze grote dichter Arthur Hollidee zal worden onthuld. Eindelijk is het uur gekomen. Ongetwijfeld hebt u allen een gedichtenbundel van de grote dichter op uw nachtkastje liggen. Ongetwijfeld leest u dagelijks zijn gedichten.'

De mensen op het plein schuifelden en mompelden: 'Ja, ja...'

'Nu trek ik dit laken weg,' sprak de burgemeester.

Met één beweging rukte hij het laken van het beeld. Daar zat de stenen Arthur Hollidee, met zijn bord opgeheven en zijn hand uitgestrekt.

'Dames en heren stadgenoten,' zei de burgemeester. 'U ziet het lege bord! Het symbool voor de positie van de dichter heden ten dage. Het lege bord! De honger, de armoede, de miskenning!'

Verschillende dames in het publiek begonnen te schreien. Mejuffrouw Emilia Hollidee snikte luid.

'Hoera, hoera!' riepen de mensen. 'Prachtig! Wat een schitterend beeldhouwwerk.'

'Toch lijkt hij niet helemaal,' zei een oud heertje. 'Ik ken hem goed want ik woon hier op de hoek. Hij lijkt niet erg. De neus is niet zo goed getroffen. Arthur Holli-

26

dee heeft een veel langere neus. Maar waar is de echte Arthur Hollidee eigenlijk? Waar is uw broer, mejuffrouw?' vroeg het oude heertje aan Emilia.

'Hij – hij is op reis,' stamelde Emilia Hollidee.

Wiplala, in de zak van meneer Blom, wriemelde nu heel heftig.

'Wat is er?' fluisterde meneer Blom en hij boog zijn hoofd om te kunnen verstaan wat Wiplala had te zeggen.

'Ik geloof dat ik hem nu weer terug kan betinkelen,' zei Wiplala.

'Doe dat maar niet,' zei meneer Blom. 'Het is beter dat hij nog maar een poosje van steen blijft. Laat hem nog maar zo.'

De plechtigheid was afgelopen. Iedereen ging naar huis. Ook meneer Blom en de kinderen en Wiplala. Toen ze voorbij een boekwinkel kwamen zei Johannes: 'Kijk daar eens, wat een drukte!'

Er stonden wel honderd mensen te dringen voor de boekhandel.

'Ze gaan de gedichten van Arthur Hollidee kopen,' mompelde meneer Blom. 'Nu is hij ineens écht beroemd. Iedereen schaamt zich, omdat niemand zijn boeken ooit heeft gelezen. Kijk maar, de mensen komen naar buiten met zijn gedichtenbundels in de hand.'

Het was zo. Die hele week bestormden de mensen de boekwinkels om Hollidees gedichten te kopen. De etalages lagen vol met zijn boeken. Er werden lezingen gehouden over de dichter Arthur Hollidee en er werd door de radio gesproken over Arthur Hollidee.

Journalisten van alle kranten kwamen bij het huis van de dichter en ze vroegen aan mejuffrouw Emilia Hollidee: 'Waar is uw broer?'

'Hij is op reis,' zei ze nadrukkelijk.

'Maar waar is hij heen?' vroegen de journalisten. 'Wij willen hem interviewen! Wij willen foto's van hem nemen. Hij moet ook voor de televisie komen!'

'Het spijt me,' zei juffrouw Hollidee. 'Hij is er niet.'

De journalisten namen toen háár foto. Ze zetten de kranten vol met Arthur Hollidees jeugdportretjes en waren heel tevreden. Een dag of wat later kwam mejuffrouw Emilia Hollidee bij de familie Blom.

Nella Della stopte Wiplala gauw in een la.

'Zo zo, Emilia,' zei meneer Blom. 'Hoe gaat het nu?'

'Ik vind het vreselijk,' snikte Emilia Hollidee. 'Mijn arme broer is in een stenen beeld veranderd en staat nu in de hagel.'

'Hij voelt het niet, hij is van steen,' troostte meneer Blom.

'Ja, maar ik mis hem zo,' zei Emilia. 'Zou er niets aan te doen zijn? Hij is van de honger versteend en ik denk nu iedere dag: Als hij dít beleefd had, had het niet gehoeven.'

'Als hij wát beleefd had?'

'Die grote verkoop van zijn boeken. Van al zijn bundels zijn nieuwe drukken verschenen. Ik krijg zóveel geld. Ik kan net zoveel eten kopen als ik wil. En wat heeft hij daar nu aan? Niets. Hij is van steen.'

'Hij zal wel weer gauw levend worden,' zei Nella Della, die erg veel medelijden begon te krijgen met juffrouw Hollidee. 'U zult het zien, hij wordt weer levend.'

'Hoezo? Waarom denk je dat?' vroeg Emilia.

'Eh – ik dacht het zo,' zei Nella Della schuchter.

'Misschien moet u 's nachts iets op zijn bord leggen,' zei meneer Blom. 'Als ik u was, zou ik 's nachts zijn bord vullen met havermout, of peultjes.'

'Waarom peultjes?' vroeg Emilia.

'Ach, peultjes of andijvie en karbonaadjes. Ik bedoel maar, misschien helpt het. Overdag moet u dat niet doen, dan zou het eten eraf genomen kunnen worden. Maar doet u het 's nachts.'

'Ik zal het doen,' zei mejuffrouw Hollidee. En ze ging zuchtend weg.

Wiplala werd uit de la gehaald en hij zei: 'Zal ik proberen die dichter weer terug te betinkelen? Nu?'

'Ja,' zei Nella Della.

'He ja,' zei Johannes.

'Nee,' zei meneer Blom. 'Heus, kinderen, het is veel beter om hem nog een paar weekjes zo te laten. Nu kijken de mensen naar hem. Zijn foto komt in de krant. Hij wordt elke dag beroemder. En rijker. Het is vervelend voor zijn zuster, maar áls hij weer levend is, zal ze des te blijer zijn.'

'Dat is waar,' zei Nella Della.

Hoofdstuk **3** *Eten in de stad*

Iedere dag ging Nella Della met een boodschappen-mandje naar het standbeeld. In dat mandje zat, onder een kleedje, Wiplala. Meestal gingen ze zo tegen de schemering, als er weinig mensen op het pleintje liepen. 'Kom,' fluisterde Nella Della dan, 'we zijn er, Wiplala. Doe je best.' Wiplala stak zijn kleine kopje uit de mand en hield zich met zijn handjes aan de rand vast. Dan hees hij zich naar boven, zodat hij op de rand van het mandje kwam te zitten. Hij keek haastig om zich heen of er niemand aan kwam en dan begon hij zachtjes te prevelen en met zijn vingertjes te werken. De bedoeling van dit alles was om de arme dichter Hollidee weer in een gewoon mens van vlees en bloed te veranderen. Maar elke dag mislukte het.

'Zie je wel,' zei Wiplala bitter. 'Ik kán niet tinkelen.'

'Maar je hebt 'm toch in steen veranderd!' zei Nella Della. 'Dat is toch al heel knap!'

'Ja,' zuchtte Wiplala. 'Maar ik moet het toch ook terug kunnen. En deze man is erg moeilijk om weer terug te betinkelen. Zie je nog niks bewegen aan hem?'

'Nee,' zei Nella Della. 'Nog helemaal niets.'

'Dat is jammer,' zei Wiplala. 'Ik kan het niet. Ik ben een prul.' En hij snikte.

'Lieve Wiplala,' troostte Nella Della, 'huil niet.' Ze veegde zijn hele kleine traantjes af met haar zakdoek. Ze zette hem weer netjes in het mandje, onder het kleedje. 'Het zal vast nog wel eens een keer lukken. Het is pas veertien dagen geleden dat je hem in steen hebt veranderd. Kom, we gaan naar huis.'

'En?' vroeg meneer Blom. 'Is het gelukt?'

'Nee,' zei Wiplala, uit het mandje klimmend, 'het is alweer niet gelukt. Het is geen wonder dat de andere Wiplala's mij niet meer bij zich willen hebben. Ze vinden mij een stommeling.'

Johannes, die met zijn auto's had zitten spelen, kwam naderbij en zei: 'Je moet maar veel oefenen, Wiplala. Je moet maar van alles betinkelen hier in huis, om te zien of het gaat.'

'Asjeblieft niet!' riep meneer Blom verschrikt. 'Ik houd helemaal niet van dat getinkel, vooral niet als het HALF gebeurt. Je ziet nu, hoe akelig het is gegaan met meneer Hollidee. De arme man is een standbeeld gebleven en hij staat al twee weken op een plein.'

'Maar u zei toch, dat het wel goed voor hem was? U zegt toch aldoor dat zijn boeken nu veel meer verkocht worden, vader?'

'Ja, dat is zo. Maar zijn arme zuster Emilia is ontroostbaar.'

'Daar komt ze juist,' fluisterde Nella Della. 'Wiplala kruip weg, ze hoeft je niet te zien.'

Wiplala kroop gauw onder de blauwe theemuts op tafel.

'Dag Emilia,' zei meneer Blom. 'Dag juffrouw Emilia,' riepen de kinderen.

Juffrouw Emilia Hollidee had rode ogen van het schreien. Blijkbaar had ze erg veel verdriet over het lot van haar broer. Ze ging bij de tafel zitten en zuchtte.

'Zou hij ooit weer een gewoon mens worden?' vroeg ze. 'Ik geloof er zelf niet meer aan. Hij is zo hárd geworden. En het was zo'n zachte man.'

'Hoezo hárd?' vroeg Johannes.

'Wel, hard! Hij is van steen, dus hard. En ik ga iedere morgen naar hem kijken en dan leg ik mijn hand tegen zijn knie of tegen zijn arm en dan voel ik hoe keihard en ijskoud hij is. En dan denk ik: Dat is mijn broer niet. En dat kan nooit meer mijn broer worden.'

Ze hadden allemaal innig medelijden met de arme Emilia. En ze hadden zo graag willen zeggen: Lieve Emilia, maak je niet bezorgd, vandaag of morgen lukt het wel. Vandaag of morgen zal onze Wiplala ineens je broer weer terugtoveren in een mens. Maar ze konden dat niet zeggen want Emilia mocht Wiplala niet zien. Want stel je voor dat ze hem zag. En stel je voor dat ze wist, dat Wiplala haar broer had betoverd. O jee, ze zou woedend op het arme kleine ventje zijn en hem misschien kwaad willen doen. Nee, gelukkig wist ze niets.

'Ik wou dat ik zelf ook maar van steen was,' zuchtte Emilia.

'Jij zelf ook van steen?' vroeg meneer Blom. 'Maar waarom, in hemelsnaam, Emilia?'

'Dan zou ik naast hem kunnen staan,' snikte ze.

32

'Maar dat kun je nu toch ook?'

'Ja, maar niet zo lang. Niet altijd! Ik moet nu aldoor weer alleen naar huis en dan moet ik alleen mijn boterham opeten en alleen de krant lezen en alleen naar de radio luisteren, en alleen theedrinken. En als ik van steen was dan zou ik doodstil naast hem staan, altijd, altijd, honderd jaar en nog langer, in de wind en in de regen en ik zou veel gelukkiger zijn dan nu. En minder eenzaam. Oh, was ik ook maar van steen.' De tranen van Emilia drupten tussen haar vingers door op de tafel.

Johannes keek naar de theemuts en zag dat Wiplala er half onder vandaan kwam. Hij begreep dat Wiplala dit allemaal had gehoord en er erg van onder de indruk was. Hij begreep dat Wiplala op het punt stond om juffrouw Emilia in steen te betinkelen, omdat ze dat zo graag wou.

'Niet doen, niet doen,' riep Johannes angstig. 'Blijf daar zitten en beweeg je niet!'

Wiplala kroop weer onder de theemuts en het gevaar was geweken.

'Tegen wie heb je het?' zei juffrouw Emilia verwonderd.

'O, eh – tegen de poes. Tegen Vlieg,' zei Johannes wat zenuwachtig. 'Maar de poes is op straat,' zei juffrouw Emilia. 'Ik zag 'm op straat lopen, zojuist.'

Meneer Blom redde de situatie. Hij legde een hand op de schouder van juffrouw Emilia Hollidee en zei: 'Lieve buurvrouw, ik heb erg met je te doen. Wij hier allemaal denken dat dit een tijdelijke kwestie is en dat je broer ongetwijfeld weer als een gewoon mens door de stad zal kunnen lopen, binnen niet al te lange tijd. Maar nu ben je erg eenzaam en daarom vragen we je: Wil je met ons in de stad gaan eten? Dat is gezellig. Je hebt dan wat afleiding.'

Juffrouw Emilia schudde haar hoofd. 'Het is erg vriendelijk van u,' zei ze. 'En ik zou het heel graag doen. Maar ik vind het beter om naar huis te gaan. Dan ga ik voor mijn raam zitten en kijk naar mijn arme stenen broer. En ik knik hem af en toe eens hartelijk toe, wanneer ik zit te eten. Ik eet vanavond karbonaadjes, weet u? Daar hield hij zo van, maar hij kreeg ze nooit, want we hadden nooit geld Nu heb ik geld, want zijn boeken worden goed verkocht en ik kan dus karbonaadjes kopen. Hij heeft dat niet meer mogen meemaken.'

Ze nam haar jasje en ging weg, iedereen treurig achterlatend.

'Ik vind het zo zielig voor haar,' zei Wiplala. 'Misschien had ik haar toch beter kunnen betinkelen. Dan was ze ook van steen geweest en ze had naast hem kunnen staan.'

'Hoor eens hier,' zei meneer Blom. 'Je mag alleen mensen betinkelen als ik het goed vind, denk je daaraan? Wanneer je dus aan het tinkelen slaat, vraag dan eerst aan mij of het mag. Beloof je me dat, Wiplala?'

'Jawel,' zei Wiplala aarzelend, 'ik wil het wel beloven, maar ik weet niet of ik ALTIJD die belofte kan houden, want weet je, vader, ik ben niet een gewoon jongetje, ik ben een wiplala en het tinkelen zit ons in het bloed.'

Meneer Blom kreeg een kleur van plezier, omdat Wiplala 'vader' tegen hem zei. Hij vond dat zo lief en zó aardig, dat hij ineens weer in een goed humeur was.

'Weet je wat?' zei hij. 'Kinderen, ik heb een goed idee.

Ik werk vandaag niet meer, we gaan in de stad eten. Juffrouw Emilia wil niet mee, nou goed, dan gaan WIJ.'

'Hoera!' juichten de kinderen.

'Lekker in een restaurant,' zei meneer Blom.

'En Wiplala? Mag Wiplala ook mee?' vroeg Nella Della.

'Jazeker, maar in een tas. En hij moet in de tas blijven, ook in het restaurant.'

'In de tas blijven? Maar dan kan hij niets zien.'

'Tja, het kán niet anders,' zei meneer Blom. 'We kunnen toch niet in een restaurant gaan zitten met zo'n klein mannetje bij ons? Dan zouden alle mensen naar hem kijken. Ze zouden hem misschien van ons afpakken én hem in een museum stoppen.'

'Dat wil ik niet!' riep Wiplala.

'Ik weet het al,' zei Nella Della. 'Ik heb immers die tas met een plastic ruitje erin. Een echt leuk klein vensertje. In die tas ga je, Wiplala, dan kun je alles zien en niemand ziet jou, want niemand gaat kijken wat een dame in haar tas heeft.' En ze trok een heel damesachtig gezichtje, echt een gezichtje om mee in een restaurant te zitten.

En zo zaten ze een uurtje later in de bus. Meneer Blom in z'n nette donkerblauwe pak, naast hem Johannes in een schone trui en daarnaast Nella Della met haar tasje. Een rood, linnen tasje en in 't midden was een vensertje van plastic; daarachter zat Wiplala en keek naar buiten. Ze stapten uit bij de parkhalte.

'He, laten we daar gaan eten,' zei Nella Della en ze wees op een heel groot wit hotel bij het park. Het leek wel een paleis, zo groot, zo mooi, zo luxueus!

'Welnee, dat is veel te duur en te deftig,' zuchtte meneer Blom. 'Daar durf ik niet in hoor.'

'Maar we gaan haast nooit in de stad eten! Voor één keertje mogen we toch weleens in zo'n mooi gebouw?'

'Ik vind het ook veel te duur en te deftig,' zei Johannes. 'Ik durf daar ook niet in. Laten we maar in het Pannekoekhuisje gaan.'

'De vorige keer heb JIJ mogen zeggen, waar je wou eten,' zei Nella Della. 'En jullie hebt beloofd dat IK het deze keer mocht zeggen.'

'Ja, dat is zo,' zei hun vader. 'Nou vooruit dan maar, vraag eens aan Wiplala of hij het ook goed vindt.'

Nella Della deed haar tasje open en vroeg: 'Wat vind jij van dat hotel, Wiplala?'

'Woont daar de Koning?' vroeg Wiplala opgewonden.

'Nee, het is geen paleis. Het is een hotel-restaurant. Wij willen daar gaan eten, vind je dat leuk?'

'Heel leuk,' zei Wiplala en Nella Della deed de tas weer dicht. Ze waren er.

Ze gingen de marmeren trappen op, ze gingen een glazen draaideur door en ze kwamen in een grote zaal met vergulde zuilen en prachtige palmen. Twee oberkelners in het zwart stonden te buigen en te glimlachen en overal zaten dames en heren aan de tafeltjes en het rook er lekker naar parfum en kip. In de hoek speelde een orkestje een dromerig walsje en op de grote witte vleugelpiano stond een reusachtige roze pot gladiolen.

Er kwam nog een kelner uit een hoek, als een duveltje uit een doosje. Hij hielp meneer Blom uit z'n jas en leidde hen naar een tafeltje met blinkende witte servetten en kristal en zilver.

'Fijn he?' fluisterde Nella Della. 'En die muziek! En al dat licht!'

'Ik vind het hier griezelig netjes,' bromde Johannes. 'Je mag hier niet met je ellebogen op tafel en je moet hier fluisteren en je mag niet hard lachen.'

'Maar we gaan wel heel lekker eten,' zei meneer Blom. 'Wat willen jullie eten? Je kunt ossestaartsoep krijgen en

37

dan vis en dan ijs toe. Zullen we dat doen? Ober!' De ober kwam en boog.

'Drie maal ossestaartsoep,' zei meneer Blom, 'en drie maal gebakken tarbot en drie maal ijs toe. En spuitwater.'

Toen de soep gebracht was, fluisterde Johannes: 'Hoe moet Wiplala nou eten? Mag hij op tafel zitten?'

'Nee, volstrekt niet,' zei meneer Blom. 'Dat kan echt niet. Dan ziet iedereen hem en dan krijgen we de grootste narigheid. Maar de tas staat op tafel, dus hij kan alles zien. Doe de tas maar open, Nella Della, dan geven we hem soep IN de tas. Heb je een klein theelepeltje meegebracht? Dat is verstandig.' Nella Della gaf Wiplala soep van het theelepeltje in de tas en dat ging uitstekend.

'Ik wil er zo graag even uit,' zei Wiplala.

'Dat kan niet,' zei meneer Blom. 'Heb je genoeg soep gehad? Dan doen we de tas weer even dicht want daar komt de kelner aan.'

De kelner bracht een enorme zilveren schotel met drie hele grote vissen en daaromheen groenten en kleine aardappeltjes. Het zag er zo heerlijk en zo feestelijk uit en de muziek was zo vrolijk en gezellig en alle andere mensen in de zaal lachten en praatten zo opgewekt en roezemoezig, zelfs Johannes begon het prettig te vinden en wipte op zijn stoel op en neer van plezier.

'Hier heb je een stukje vis, Wiplala.' De tas ging weer open en Wiplala kreeg van alles een paar hapjes mee. 'Zal je de tas van binnen niet vet maken?' zei Nella Della. 'Voorzichtig hoor!'

En daarna aten ze nog een geweldig stuk ijs, met vruchtjes en slagroom. Het ijs was half groen en half

roze, en er zaten ook nog kleine stukjes noga in. Wiplala
verslikte zich in een nootje en kuchte wel een kwartier,
maar gelukkig merkten de kelners daar niets van. 'Zie
zo,' zei meneer Blom, 'nu ga ik afrekenen en dan gaan
we nog een beetje wandelen in de stad. Ober!'

De ober kwam en boog weer.

'Mag ik de rekening?' vroeg meneer Blom.

De ober holde weg en kwam even later terug met een
zilveren blad, waarop een dichtgevouwen stukje papier
lag. De rekening.

39

Meneer Blom vouwde het papiertje open. Hij werd heel bleek en prevelde: 'Dat kan toch niet!'

'Wat kan niet, vader?' vroeg Johannes.

'Vijfenveertig gulden zeventig,' zei meneer Blom verslagen. 'Wat ontzettend! Dat héb ik helemaal niet. Ik heb maar tien gulden bij me.'

De kelner stond geduldig naast hun tafeltje te wachten.

Nella Della en Johannes zaten er heel verslagen bij. Wat vreselijk! Nu hadden ze alles opgegeten en nu moesten ze betalen, maar vader had geen geld genoeg. O, wat afschuwelijk!

'Ik – ik – heb maar tien gulden,' zei vader tegen de deftige ober.

De ober boog niet meer. Hij glimlachte niet meer. Hij zag er ineens uit als een boze boswachter.

'U kon toch op de kaart zien hoe duur het was,' zei hij kil.

'Ik heb niet gekeken hoe duur het was,' zei meneer Blom. 'Ik heb vergeten te kijken hoe duur het was, en ik dacht dat tien gulden een hele hoop geld was.'

'Blijft u even op uw plaats,' zei de ober. 'Ik zal even de gerant halen.'

'Wat is de gerant?' vroeg Nella Della, toen hij weg was.

'De baas,' zei meneer Blom, 'o jee kinders, daar komt hij al.'

De gerant was nog veel bozer dan de ober. Hij keek streng en bovendien minachtend. 'Dat is wel fraai!' zei hij. 'Dat is al de tweede keer vandaag.'

'Maar ik ben hier pas voor 't eerst,' zei meneer Blom.

'Ja, maar er was vanmiddag ook al een heer hier die niet kon betalen,' zei de gerant.

'Dat kan ik niet helpen,' zei meneer Blom. 'Ik wil wel even naar huis gaan om geld te halen.'

'Dat kunt u doen,' zei de gerant minzaam. 'Dan houd ik de kinderen hier.'

'Maar – maar – thuis heb ik ook geen geld,' zei meneer Blom met een vuurrode kleur. 'Ik heb alleen maar tien gulden.'

'Dan moet de politie erbij komen, het spijt me,' zei de gerant. 'Dit zijn ongeregeldheden die wij niet kunnen dulden. Volgt u mij maar even.'

Meneer Blom en de kinderen gingen mee, verslagen en geduldig als schapen. Ze werden naar een privékantoor gebracht, een kleine ruimte met stalen stoelen en een bureautje. Daar zaten ze en de nare hotelman deed de deur van buiten op slot en ging de politie waarschuwen.

Nella Della deed de tas open en zei tegen Wiplala: 'Zeg, we hadden geen geld om te betalen en nu zijn we opgesloten en straks komt de politie om ons in de gevangenis te zetten.'

'O,' zei Wiplala, 'ik zal de politie wel in steen betinkelen.'

'Nee,' zei meneer Blom heel beslist, 'nee Wiplala, dat mag je NIET doen.'

'Maar dan komen we in de gevangenis,' snikte Johannes. 'En ik ben nog zo jong.'

'Levenslang krijgen we,' huilde Nella Della.

'Welnee,' zei meneer Blom, 'dat geloof ik niet. Maar misschien moeten we wel mee naar het politiebureau. En het is mijn schuld,' voegde hij er treurig bij. 'Waarom heb ik dan niet eerst geïnformeerd, hoe duur het was?'

'Het is mijn schuld,' zei Nella Della. 'Ik wou in dit afschuwelijke hotel eten. En weet je wat zo vreselijk is? Misschien kijkt de politie straks in mijn tas en dan vinden ze Wiplala.'

'Wat? Wat?' schreeuwde Wiplala vanuit de tas. 'Dat wil ik niet! Ze mogen mij niet vinden. Laat me eruit.'

Nella Della liet hem uit de tas. 'Ik zal me in die la verstoppen,' zei Wiplala. 'In die la van het bureau. Ik wil niet dat ze me vinden.'

'Konden wij ons ook maar in die la verstoppen,' zei Johannes somber. 'Wat zou dat fijn zijn. Dan zou straks de politie komen en ons lekker niet vinden.'

'Dat is een heel goed idee,' zei Wiplala.

'Wat ga je nu doen, Wiplala?' vroeg meneer Blom streng. 'Je gaat toch zeker geen grapjes uith...' Hij zweeg want hij kreeg een heel raar gevoel van binnen. Hij werd heel duizelig en draaierig en hij zag alles om zich heen reusachtig groot worden. De stoelen groeiden en groeiden, het bureau, waarop ze waren gaan zitten, werd zo groot als een plein, de balpunt-pen die erop lag werd zo groot als de mast van een schip. De schemerlamp was wel zo groot als een huis. Meneer Blom stond op en begon te lopen. Hij kon om de lamp heen lopen. En toen zag hij dat Nella Della naast hem liep en Johannes ook. Wiplala was nu even groot als Johannes, ze waren nu alle vier even groot. Ze waren nu alle vier héél kleine mensjes, dwergjes op een groot bureau in een reusachtige kamer.

'O Wiplala, wat leuk!' zuchtte Nella Della.

42

'Wiplala, wat schandelijk!' riep meneer Blom.

'Gauw, gauw, in de la,' zei Wiplala. 'Gauw in de la.'

Ze kropen alle vier door de spleet van de half geopende la en gingen in een hoekje achteraan zitten, in 't donker. En ze waren precies op tijd want de deur van het kantoor ging open en de gerant kwam binnen met een politieagent.

'Hier zijn de oplichters,' zei de gerant, maar hij zweeg abrupt. 'Wel verdraaid, ze zijn 'm gesmeerd!' riep hij uit. 'Ze zijn weg! Hoe is dat mogelijk? En de deur was op slot!'

'Door het raam?' vroeg de politieagent. 'Nee, dat kan niet, dit raampje is te klein en te hoog voor een persoon om te ontsnappen.'

'Inderdaad,' zei de gerant. 'Door dat raam kunnen ze niet ontsnapt zijn.'

Hij liep zenuwachtig heen en weer door het kantoor, keek onder de stoelen, achter het bureau, onder het bureau en hij werd woedend.

Het kleine gezelschap in de la hield zich muisstil, ze durfden nauwelijks te ademen.

'Nou,' zei de agent, 'moet u me daarvoor helemaal hier laten komen? U hebt het zeker allemaal gedroomd.'

'Gedroomd?' riep de gerant boos. 'Zo zeker als twee maal twee vier is heb ik die man met zijn twee kinderen hier opgesloten. Voor vijfenveertig gulden hebben ze gegeten en niet betaald.

'Tja,' zei de agent, 'maar als ze er niet zijn, kan ik ze ook niet arresteren.'

'Dat is zo,' gaf de gerant toe. 'Ik begrijp er helemaal niets van. Misschien heeft de boekhouder ze bij ongeluk losgelaten, gaat u nog even mee naar de boekhouder?'

Ze gingen de deur uit.

'Zijn ze weg?' fluisterde Johannes. 'Dan moeten we zien te ontsnappen.'

'Ik zal wel vóórgaan,' zei Wiplala. 'Komen jullie maar achter mij aan.' Hij sloop de la uit, liep over het grote blad van het bureau en liet zich aan het snoer van de schemerlamp naar beneden zakken.

Meneer Blom volgde hem jammerend en Nella Della en Johannes kwamen ook veilig beneden.

Ze stonden nu op de vloer. Vier kleine wezentjes op de vloer van het kantoor en Wiplala zei: 'Kijk, ze hebben de deur open laten staan. Ik zal even poolshoogte nemen op de gang. Blijf hier even.' Toen hij terugkwam, zei hij: 'Kom maar mee, de gang is verlaten en er is daar een achterdeur naar buiten.'

Heel voorzichtig en zachtjes volgden ze hem op de schemerige gang van het hotel.

'Daar komt iemand,' zei Nella Della.

Ja, daar kwam een kelner door de gang van de andere kant af. Hij droeg in de ene hand een blad vol borden en in de andere hand een blad vol glazen.

'Even blijven staan,' zei Wiplala. 'Hier, tegen de muur. En niet bewegen.' Ze bleven allemaal doodstil staan. De ober had haast en was hen al bijna gepasseerd, toen meneer Blom ineens moest niezen. Hij probeerde het nog in te houden, maar hij kon niet.

'Hatsjie!' zei meneer Blom. Het was maar een klein poppeniesje, want meneer Blom was niet groter dan een muis, maar het klonk toch wel zo hard, dat de kelner het hoorde. De man stond stil en keek in hun richting. Er

kwam een dodelijk verschrikte blik in zijn ogen.

'Lopen!' siste Wiplala, 'vooruit, lopen, rennen!' Hij holde de gang door en de anderen renden mee. De ogen van de kelner werden steeds groter. Hij sprong in zijn angst op zij en liet alle twee de bladen uit zijn handen vallen van pure schrik. Met kletterend geweld vielen de borden met restjes kip en restjes ijs op de vloer en de glasscherven spatten door de gang. Uit verscheidene deuren kwamen andere kelners toeschieten en een paar kamermeisjes, die riepen: 'Hei! Wat is er! Joris, wat doe je?'

'Beesten!' riep Joris klaaglijk. 'Muizen – muizen op hun achterpoten met kleertjes aan. Griezelige tovermuizen. Help, houd ze! Ze zijn door die deur naar buiten gelopen! Houd ze dan toch!'

'Hij is niet helemaal in orde,' zeiden de andere kelners. 'Joris, je bent overstuur!' Ze gingen allemaal kijken bij de achterdeur, waar de tuin van het hotel was. Maar meneer Blom en z'n kinderen en Wiplala waren al lang verdwenen tussen de bosjes seringen. Ze gingen vanuit de tuin in het park. En vanuit het park kwamen ze op straat.

Het was gelukkig donker en ze konden dus voorzichtig aan de rand van het trottoir lopen zonder dat iemand hen zag.

'Fijn, fijn, we zijn ontsnapt!' zong Wiplala.

'Ja fijn,' zei meneer Blom bitter. 'En wat zijn we nu? Kleine dwergjes! Hoe moet ik mijn werk doen en mijn boeken schrijven, nu ik zo klein ben als een halfvolwassen kikker?'

'We zijn thuis,' zei Nella Della. 'Kijk eens, hoe groot

ons huis is geworden, vader!'

'We kunnen niet bij de voordeur,' zei Johannes. 'Hoe moeten we er nu in komen?'

'Achterom, door het poezeluikje,' zei meneer Blom.

En dat deden ze.

Hoofdstuk 5 *Het huis is te groot*

'Daar zitten we nou,' zei meneer Blom. 'Zo groot als muizen. In een reuzenhuis.'

Ja, daar zaten ze nou. Meneer Blom, de twee kinderen en de kleine stoute Wiplala, die hen allemaal had betoverd, zodat ze niet groter waren dan een flinke middelvinger.

Ze zaten op de grond onder de tafel, die nu een reuzentafel was, en naast hen zat de poes Vlieg, die nu een reuzenpoes was, maar die gelukkig nog net zoveel van hen hield en voortdurend spon en kopjes gaf.

Nella Della had het poppefornuisje aangemaakt met kleine stukjes hout en daarop pruttelde een pannetje met twee aardappelen, reuzenaardappelen. Dat was hun warme maaltijd, rijkelijk voldoende. Het grote wittebrood uit de kast lag nu ook op de vloer, op een plastic zeil en de kaas erbij. Met heel veel moeite hadden ze dat uit de kast gekregen. Johannes en Wiplala waren samen in de kast geklommen, hadden het brood uit de broodtrommel gesleept en het naar beneden gegooid en daarna de

48

kaas. De boter hadden ze maar laten staan. Die kun je niet naar beneden gooien, dat wordt zo'n vieze boel.

Echt kamperen was het en Johannes en Nella Della vonden het heerlijk. Een eindje verder op de vloer lagen de rails van Johannes' elektrische trein. Ze hadden een transformator en urenlang reden ze rond en rond en rond in de goederenwagens, terwijl Johannes als bestuurder in de locomotief zat. En als ze daar genoeg van hadden gingen ze paardjerijden boven op de poes. Vlieg vond het allemaal best, sprong met hen op stoelen en tafels en klom met hen in de gordijnen, terwijl Nella Della, Johannes en Wiplala zich gillend en kraaiend aan zijn haren vasthielden. Ja, het was wel een verrukkelijk speelterrein, dat reuzenhuis. Je kon nu prachtig verstoppertje spelen onder de piano. Je kon heel hard rennen van de ene kant van de kamer naar de andere kant, je kon van het theeblad en een voetenbankje een mooie wip maken en je kon schommelen in de grote boodschappentas die aan een spijker hing.

Meneer Blom deed niet mee aan al die spelletjes. Meneer Blom moest werken, want hij schreef immers een boek? En dus zei hij elke morgen: 'Kom, ik ga proberen een beetje te werken.' Dan klom hij met veel moeite langs een stoelpoot omhoog, hees zich op de stoel, trok zich dan aan het tafelkleed naar boven en zat boven op de tafel. En dan ging hij op de schrijfmachine tikken en dat was heel moeilijk, want het was natuurlijk een reuzenschrijfmachine. Na veel zwoegen kon hij een vel papier erin draaien en dan begon hij te typen. Hij stapte met zijn voet op de g, dan sprong hij op de letter r, dan tweemaal op de letter o en dan hupte hij weer naar de letter t. Dan had hij het woord GROOT getypt. Maar als hij twee zinnen had getikt op die manier, was hij dood-moe en moest hij even in het poppebed gaan liggen om uit te blazen.

Elke morgen gingen ze allemaal zwemmen in het bad. Met vereende krachten konden ze de kraan opendraaien en weer dicht en het bad vol laten lopen. Ze zwommen dan een kwartiertje vrolijk heen en weer en na afloop rolden ze zich met z'n vieren in één handdoek.

Gelukkig stonden alle deuren in het huis op een kier, zodat ze overal in en uit konden lopen. Als ze wilden konden ze ook door het katteluik naar buiten maar ze durfden niet goed naar buiten. Want stel je voor, als iemand hen eens zag? Wat zou er dan gebeuren? Ze zou-den misschien door vreemde boze mensen worden mee-genomen naar een kermistent en te kijk gezet worden. O nee, niemand, niemand mocht hen zo zien.

En soms vonden de kinderen dat ineens erg verdrietig. Vooral als ze op Vliegs rug op de vensterbank sprongen en naar buiten keken. Dan zagen ze de mensen op straat, grote mensen en grote kinderen, net reuzen.

'Zo zijn we ook geweest,' zei Nella Della dan. 'Zo groot waren wij vroeger ook.'

'Kun je ons nooit meer terugbetoveren, Wiplala?' vroeg meneer Blom dan.

Wiplala beet zenuwachtig op zijn kleine nageltjes en zei schichtig: 'Ik kan het misschien, ik hoop dat ik het nog eens kan. Ik weet, dat je iets moet innemen, een goedje, iets wat je moet eten, maar ik weet niet meer hoe het heet. Misschien valt het me nog wel eens in.'

'Kun je het bij de apotheek krijgen?' vroeg Johannes hoopvol.

'Dat weet ik niet,' zei Wiplala vaag. 'Ik weet niet wat een apotheek is.'

Johannes wilde hem net gaan uitleggen wat een apotheek was, toen Nella Della ineens haar vinger ophief en riep: 'Ssst – luister! Ik hoor wat.'

Ze luisterden allemaal. Meneer Blom stond juist te werken op zijn schrijfmachine en hij luisterde ook, één voet opgeheven.

'Ik hoor een sleutel in het slot van de voordeur,' zei Johannes. 'Wie kan dat zijn?'

'O, het is natuurlijk juffrouw Dingemans. Het is immers vrijdag? Juffrouw Dingemans komt schoonmaken en zij heeft de sleutel.'

'Wegkruipen!' riep meneer Blom angstig. 'Laat ze ons niet vinden. Wegkruipen!'

Nella Della keek haastig rond of ze ergens een schuilplaats zag waar juffrouw Dingemans met haar stofzuiger niet zou kunnen komen. Ze hoorden haar nu lopen in de gang. Nu stond ze stil, ze was bezig haar jas op te kapstok te hangen. Ze zong.

'In de tas – gauw!' riep Nella Della. 'In de boodschappentas.'

Ze hielpen haastig meneer Blom van de tafel klimmen en in een ommezien zaten ze alle vier in de boodschappentas, die aan de muur hing. Precies op tijd, want de deur ging open en juffrouw Dingemans kwam binnen. Ze keek verbaasd rond en zei: 'Zo poes, ben jij alleen? Is er niemand thuis?'

'Mauw,' zei Vlieg.

'Wat een rommel is het hier!' zei juffrouw Dingemans. 'Alles op de vloer, het brood en de kaas en kijk toch – een poppefornuis, dat brandt!'

'Mauw,' zei Vlieg.

'Nou, ik zal maar eens gauw gaan redderen,' zei juffrouw Dingemans en ze zette het brood en de kaas weer in de kast.

Johannes en Nella Della, daar binnen in de boodschappentas, fluisterden tegen elkaar: 'Wat zal het ons een moeite kosten om dat brood weer naar beneden te brengen. Zullen we maar liever te voorschijn komen?'

'Nee,' fluisterde meneer Blom. 'Volstrekt niet! Ze mag ons niet vinden.'

'Kom,' zei juffrouw Dingemans hardop tot zich zelf, 'laat ik eerst al de lege melkflessen eens terugbrengen naar de melkboer.' En daar had je het; ze pakte de boodschappentas. Aan de zwaarte voelde ze dat er iets in zat en ze keek wát erin zat.

Ze gaf een gil en liet de tas op de grond vallen.

'Au... auauau...' kreunden ze allemaal daar in die tas. Dat was hard aangekomen. Johannes huilde en Nella Della kermde.

'O oooh...' jammerde juffrouw Dingemans. 'Behekst! Dit huis is behekst. Ik moet wegwezen.' En ze greep de deurknop om haastig weg te gaan.

'Juffrouw Dingemans!' riep Nella Della. 'Juffrouw Dingemans!'

'Wat is hier aan de hand?' kreunde juffrouw Dingemans. 'Een tas met kabouters. Die kunnen praten!'

'We zijn geen kabouters,' zei Johannes en hij stak zijn hoofd uit de tas. 'Kijk ons maar goed aan. Ik ben Johannes en dit hier is Nella Della en kijk hier dit is onze vader.'

Meneer Blom stak ook zijn hoofd uit de tas en zei plechtig: 'Goedendag, juffrouw Dingemans.'

'Maar – jullie bent kabouters!' zei juffrouw Dingemans zenuwachtig. 'En wie is dat dan?' Zij wees op Wiplala.

'Ik zal het u uitleggen, juffrouw Dingemans,' zei Nella Della. 'Wij zijn betoverd.'

'Betinkeld heet het,' zei Wiplala.

'Goed, betinkeld. Hij noemt het betinkeld, juffrouw Dingemans! Hij is een wiplala, dat is een soort kabouter, en hij is hier komen wonen. Maar een paar dagen geleden waren we in een restaurant en we konden de rekening niet betalen en toen heeft hij ons veranderd in heel kleine wezentjes om ons te laten ontsnappen. Begrijpt u het?'

'Ik begrijp alleen dat ik het een griezelige historie vind,' zei juffrouw Dingemans verontwaardigd. 'En moeten jullie nou voor eeuwig zo klein blijven?'

'Misschien wel,' zei meneer Blom. 'Maar vertel het aan niemand, lieve juffrouw Dingemans. De mensen zullen ons niet met rust laten, ze zullen ons gevangen nemen en ons voor geld te kijk zetten. Ik smeek u, vertel niets.'

54

'O lieve help nee,' zei juffrouw Dingemans. 'Ik zal zwijgen als een pot. Maak je maar niet ongerust, ventje – o pardon, meneer Blom – nu heb ik ventje tegen u gezegd, neem me niet kwalijk, dat komt omdat u zo klein bent.'

'Ik neem het u niet kwalijk,' zei meneer Blom een beetje bitter.

'Wat kan ik voor jullie doen?' zei juffrouw Dingemans.

'Wilt u boodschappen voor ons doen?' vroeg Nella Della. 'We moeten meer poppevorkjes en poppelepeltjes hebben en een poppebroodtrommel en een poppebroodzaag en een poppebotervloot en – nog veel meer.'

En 's avonds, toen juffrouw Dingemans weer weg was, zaten ze alle vier aan een klein tafeltje onder de grote tafel. Ze aten keurig met mes en vork. Ze hadden een heel poppeserviesje en ze hadden heerlijk eten op tafel. En ze hadden sla en vruchten met room, alles onder hun bereik. En het hele huis was weer schoon, zoals altijd vrijdags.

'Nu komt ze voortaan iedere dag voor ons zorgen,' zei Nella Della.

'Ja,' zei meneer Blom. 'Dat is allemaal goed en wel, maar zou ze het echt aan niemand vertellen?'

'Misschien aan haar man,' zei Johannes.

'O jee, dan vertelt die man het verder en dan zijn we toch in gevaar. En wat moeten we dan doen?'

'Stil maar vader,' zei Nella Della. 'In elk geval slapen we vannacht heerlijk in onze nieuwe poppebedjes. We hebben er nu vier.'

'Ja,' zei meneer Blom, 'en in elk geval hebben we elkaar. En we blijven bij elkaar, wat er ook gebeurt.'

'Ik ook?' vroeg Wiplala, heel zoet en nederig.

'Jij ook, lieve Wiplala,' zei Nella Della, 'jij hoort bij ons. En als we altijd blijven zoals we nu zijn, zo klein en nietig, dan geeft dat nóg niets. We zullen een heerlijk leven hebben met ons viertjes.'

En toen gingen ze slapen, tussen de poppelakentjes en de poppedekentjes.

En de poes Vlieg hield de wacht.

Hoofdstuk **6** *Atlas*

'Wat hoor ik toch?' zei Nella Della. 'Is al dat lawaai bij ons voor de deur?'

'Er staan een heleboel mensen op straat,' riep Johannes, die op de vensterbank was geklommen. 'Wel honderd! En ze wijzen naar ons huis.'

Een week lang waren ze nu al kabouters: meneer Blom, Johannes, Nella Della en natuurlijk Wiplala, maar die was nooit groter geweest. Kleine kaboutertjes waren ze, in hun eigen grote huis. Ze hadden het niet akelig, maar wel een beetje eenzaam, want behalve met de werkster hadden ze nog met niemand een woord gewisseld in die tijd.

'O jee, ik zie de man van juffrouw Dingemans! Zij heeft het dus tóch verteld, dat wij klein zijn geworden. En nu komen ineens alle mensen kijken. Ik zie de burgemeester ook. En een politieagent! O vader, ik word bang – laten we wegkruipen,' zei Nella Della. 'O, laten we wegkruipen.'

'Maar ze kunnen toch niet binnenkomen?'

'Ja hoor maar, ze komen binnen. Allemaal. Ze zijn er al in!'

Het was een griezelig gehoor, al die mensen in de gang, die mompelend dichterbij kwamen en zo straks de kamerdeur zouden opendoen.

'Waar moeten we ons verstoppen? Waar? Ze vinden ons natuurlijk, waar we ook zitten. Ze kijken natuurlijk in de kasten en onder alle meubelen en in alle hoekjes en gaatjes! O, vader...' Zenuwachtig liep Nella Della rond, terwijl meneer Blom en Johannes verstijfd van schrik bleven staan.

'Ik zal ze allemaal betinkelen en in steen veranderen,' zei Wiplala die vlak voor hen ging staan, zijn vuistje gebald.

'Nee, niet doen, Wiplala, niet doen,' zei meneer Blom. 'Ik heb een idee.' Hij klauterde door het doorgeefluikje naar de keuken en ze volgden hem. Achter hem klom-

men ze door het open keukenraam naar buiten. 'En nu in de wingerd,' fluisterde hij. Ze klommen hem na in de wingerd. Daar zaten ze, verborgen tussen de grote bladeren en ze luisterden naar het rumoer van vele mensenstemmen in hun huis.

'Leugens!' hoorden ze iemand roepen. 'Er bestaan geen kabouters.'

'Mijn vrouw heeft ze zelf gezien,' hoorden ze meneer Dingemans zeggen. 'En ik zal ze vinden, al moest ik het hele huis ondersteboven keren.'

Johannes en Nella Della rilden. Ze waren ineens zo vreselijk bang voor mensen, voor die grote, grote mensen, terwijl ze zelf zo heel, heel klein waren.

'Hier vinden ze ons nooit,' zei meneer Blom. 'Wat een gemene vent, om zo maar ons huis binnen te dringen.'

'Help...' gilde Nella Della. 'O help...'

'Stil toch, kindje, wat is er?'

'Een spin!' hijgde Nella Della. 'Een spin, zo groot als een hond!'

Een reusachtige spin zat vlak naast hen tussen de wingerdbladeren. Hij loerde naar hen, alsof hij overwoog of deze beestjes misschien lekker zouden zijn.

'Och, hij doet niks,' zei Johannes met trillende stem.

'Nu doet hij in elk geval niks meer,' zei Wiplala. 'Kijk maar.' Ze keken nog eens goed. Het was een stenen spin geworden. Wiplala had hem betinkeld. Nella Della en Johannes moesten daar verschrikkelijk om lachen.

'Die arme spin,' zei Johannes. 'Als we weer groot zijn, moet je hem terugbetinkelen, Wiplala.'

'Als we weer groot zijn,' zuchtte meneer Blom. 'Zouden we ooit weer gewone mensen worden? Lieve Wiplala, weet je nou echt niet meer hoe dat goedje heet, dat ons weer in gewone mensen kan veranderen?'

'Ik zit aldoor te piekeren en te piekeren,' zei Wiplala. 'Maar het wil me niet te binnen schieten.' Hij keek heel schuldig. En toen ineens zei hij iets in een vreemde taal. Een heel erg vreemde taal. Het leek wel of hij koerde, zoals een duif.

'Wat zeg je, Wiplala?' vroeg Nella Della. Maar toen begreep ze dat Wiplala niet tegen hen praatte. Hij was in gesprek met iemand anders. Ze boog zich voorover om tussen de wingerdbladeren te zien met wie hij sprak. Hij sprak met een duif. Een grote, dikke, gezellige moederlijke duif.

'Wiplala kan met duiven praten,' zei Nella Della.

'Ja, dat hoor ik,' zei Johannes.

'De duif wil ons meenemen,' zei Wiplala haastig. 'Willen jullie dat?'

'Waar naar toe?' vroeg meneer Blom.

'Overal, waar we maar willen,' zei Wiplala.

'Laten we het maar doen,' zei Johannes. 'Boven op een duif! Reuze!'

'In elk geval kunnen we hier niet blijven,' zei meneer Blom. 'Ik durf mijn huis niet meer in, zolang we nog zo klein zijn.'

Wiplala converseerde nog steeds met de duif.

'Vraag hem of hij een plaatsje kent waar we ons kunnen verbergen,' zei meneer Blom. 'Ergens waar geen mensen zijn.'

Wiplala koerde iets. En de duif koerde terug.

'Ze zegt dat ze een heel veilige plaats weet, waar nooit iemand komt.'

'Vooruit dan maar. Zijn die mensen nog steeds in ons huis?'

Ze luisterden en hoorden de mensen door het huis rumoeren, waar ze alles overhoop haalden.

Gauw dan! De duif zat op de regenton en ze klommen behendig uit de wingerd en stapten op haar rug. Daar zaten ze, met hun vieren op één duif.

Wiplala zat achteraan, dan Nella Della, dan Johannes en vooraan, vlak bij de kop, zat meneer Blom, die mompelde: 'O, o, als het haar maar niet te zwaar is...'

De duif sloeg haar vleugels uit en steeg vervaarlijk snel

op. Daar vlogen ze. Ze hielden zich heel stevig vast aan de donzige rugveren en zagen het tuintje onder zich wegzakken. Ze zagen hun huis beneden zich, ze zagen de huizen van de buren, ze zagen de straten in de buurt en ze werden duizelig. De vleugels van de duif maakten een geweldig geruis en ze merkten nu, hoe krachtig de vleugels waren.

Wat zouden m'n vrindjes opkijken, als ze me zo konden zien, dacht Johannes. En hij grinnikte.

'Waar gaan we heen?' riep meneer Blom. 'Waar brengt ze ons naar toe?'

'Ik weet het niet,' zei Wiplala.

'Naar 't centrum van de stad,' schreeuwde Johannes. 'Kijk maar.'

Ze vlogen nu over het Rijksmuseum heen. Ze zagen de grachten en nu vlogen ze boven de Kalverstraat.

'Naar de Dam gaan we,' riep Nella Della. 'Dat beest brengt ons naar de Dam. Goeie help, en ze zou ons ergens brengen waar geen mensen zijn.'

Inderdaad vloog de duif naar de Dam. Maar ze vloog heel hoog. Ze cirkelde even rond het monument, ze vloog een stukje boven de Nieuwendijk. Ze vloog achter het Paleis om en toen streek ze neer. Op het Paleis. Aan de achterkant, op een heel klein stukje vlakke steen, een soort plateautje.

'Ze zegt dat we er zijn,' zei Wiplala.

'Welja,' zei meneer Blom. 'Hier? Op het dak van het Paleis? Wat moet dat?'

Ze klommen van de rug van de duif. En daar stonden ze nu.

'Vraag haar, of ze ons niet ergens anders heen kan

brengen,' zei meneer Blom. 'Ik word hier zo duizelig. Ik ga zitten.'

'Ze zegt dat het hier erg veilig is,' verklaarde Wiplala, na met de duif gesproken te hebben.

'O hemel, daar vliegt ze weg,' riep Nella Della. 'De duif vliegt weg!'

'Ze had nog zoveel te doen,' zei Wiplala. 'Ze heeft het druk met eitjes en kindertjes en zo.'

'Maar wat moeten we hier doen? Helemaal boven op het Paleis? Met allemaal steen om ons heen. O kijk eens, we staan vlak naast Atlas!'

'Is dat Atlas?' vroeg Johannes en wees op het grote stenen beeld naast hem, een man met een grote bal op zijn rug.

'Dat is Atlas,' zei hun vader. 'Atlas was een Griekse god en hij droeg de hele wereld op zijn nek. De hele aarde. Zie je wel, dat is de wereldbol.'

'Ach,' zei Nella Della. 'En staat hij daar al lang?'

'Al eeuwen,' zei meneer Blom. 'Wat ga je nu doen, Wiplala?'

Wiplala was bezig zijn kleine handjes te bewegen.

'Je gaat hem toch niet in steen veranderen? Hij is al van steen,' riep Johannes.

'Hij maakt hem juist levend,' fluisterde Nella Della. En tot hun grote verbazing bewoog de stenen Atlas. Hij zuchtte diep en hij hief de grote wereldbol ver boven zijn hoofd, alsof hij het ding naar beneden wilde slingeren. Toen lachte hij en legde de bol naast zijn blote voeten.

'Jullie zijn mensjes, he?' vroeg hij. 'Ik zie jullie soort altijd als ik naar beneden kijk. Daar wriemelen ze allemaal.' En hij wees voor zich uit naar beneden, naar de

Voorburgwal, waar de auto's en de trams langs kropen, waar honderden heel kleine figuurtjes zich over het asfalt bewogen.

Meneer Blom keek verbluft naar de grote Atlas, die daar zo gemoedelijk met hen stond te praten, net alsof hij nooit van steen was geweest. Stel je voor dat al die mensen beneden nu eens naar boven kijken, dacht hij. Wat zullen ze schrikken als ze zien dat Atlas zijn bol heeft neergelegd!

Maar er scheen niemand naar boven te kijken. Iedereen daarbeneden had grote haast, de mensen repten zich langs de Voorburgwal.

'Zeg meneer Atlas,' zei Johannes, 'kunt u ons ook wijzen hoe we IN het Paleis moeten komen, van hieruit? Ik wou zo graag naar binnen.'

'Naar binnen –,' zei Atlas aarzelend. 'Ja, weet je, ik sta hier al honderden jaren en ik ben nog nooit binnen geweest. Permitteert u dat ik even krab? Ik heb al honderd vijftig jaar jeuk op mijn rug.' Hij krabde zich langzaam en nadrukkelijk op de rug.

'Wel?' vroeg meneer Blom toen hij klaar was.

'Dat was heerlijk,' zei Atlas. 'En erg nodig ook. O ja, u wou het Paleis in. Wel, laat 's kijken – ik weet een raampje. Ja, ik weet een raampje, volgt u mij – of zal ik u even oppakken?' Hij bukte zich en pakte Nella Della en Johannes in de ene hand, meneer Blom en Wiplala in de andere en stapte over een enorme stenen lijst heen. 'Hier,' zei hij. 'Hier is een half open raampje. Zal ik u erin tillen?'

'Astublieft,' zei meneer Blom.

Atlas tilde hen door het raam en daar stonden ze binnen op de vensterbank.

'Zo,' zei Atlas. 'Ik ben blij dat ik iets voor u kon doen.'

Toen werd hij heel zenuwachtig en hij zei: 'O jee, o jee, al veel te lang heb ik mijn aardbol in de steek gelaten. Ik moet het ding weer op mijn nek nemen. Anders vergaat de wereld. Gauw, gauw, anders vergaat de wereld.' En hij sprong snel op zijn plaats, tilde de aardbol op en zette het enorme ding op zijn nek, steunend en zuchtend.

'Verander hem maar weer in steen, Wiplala,' zei meneer Blom. 'Gauw, dan voelt hij het gewicht niet zo erg.'

Wiplala deed het. Na een paar ogenblikken stond de Atlas bewegingloos.

'Ach, die arme Atlas,' zei Nella Della. 'Hij denkt dat de wereld vergaat als hij het ding niet op zijn nek heeft! Ja, dan kun je maar beter van steen zijn.'

Toen draaiden ze zich allemaal om en bekeken de kamer waarin ze waren. Het was een kleine kamer en er stond haast niets in. Enkel een paar heel ouderwetse leunstoelen, een tafel en een groot bed.

'Die gekke duif,' zuchtte Nella Della. 'Het Koninklijk Paleis...'

'In elk geval zijn we hier inderdaad veilig,' zei meneer Blom. 'We hebben weliswaar niets te eten, maar we kunnen nu rustig nadenken wat we verder zullen doen.'

'Slapen,' zei Johannes. 'We gaan eerst slapen, in dit lekkere bed.'

'He ja,' zei Wiplala. 'En dan zien we wel verder.'

En ze strekten zich uit boven op het bed.

Ver beneden hen, op de hoek van de Voorburgwal en de Raadhuisstraat stond een klein meisje. Ze hield haar hand boven de ogen en tuurde naar boven. Toen rende ze weg en liep naar haar vader die voor een banketbakkerswinkel stond te kijken.

'Pappie,' zei ze. 'Ik heb gezien dat dat beeld daar boven op het Paleis wegliep en weer terugkwam.'

'Wat?' zei de vader. 'Welk beeld?'

'Dat beeld daar.' Ze wees.

'Atlas? Wegliep? Kind, het is een stenen beeld.'

'Ja maar, het was echt zo. Ik zag dat ie z'n bal neerzette en zich krabde. Hij liep toen even weg en kwam weer terug.'

'Schat, je hebt gedroomd,' zei de vader. 'Dat kán niet.'

'Het was toch zo,' zei het kind.

'Nou, kom maar mee, we gaan een ijsje kopen,' zei de vader.

Maar het kind was treurig omdat haar vader het niet wilde geloven.

Hoofdstuk 7 *In het Paleis*

'Waar ben ik?' vroeg meneer Blom.

'In het Paleis op de Dam,' zei Johannes.

'Wat doe ik daar dan?' vroeg meneer Blom slaperig. Hij was juist wakker geworden en keek verbaasd om zich heen. Hij zag het reusachtige bed waarin ze allemaal lagen en hij begreep er niets meer van.

'Luister,' zei Nella Della, 'we zijn allemaal op de rug van een lieve duif hierheen gebracht, naar het Koninklijk Paleis. Atlas heeft ons naar binnen gebracht, weet je het nu weer?'

'O ja,' zei meneer Blom. 'O wat een akelige ervaringen.'

'Helemaal niet akelig,' zei Johannes. 'Leuk! Zo zien we nog iets van de wereld. 't Is heerlijk om zo klein te zijn. Je kunt je overal verbergen, zonder dat je gesnapt wordt. Je kunt op de rug van een vogel vliegen. Was het niet een heerlijke tocht op die duif?'

'Jawel,' zei meneer Blom. 'Maar wat moeten we hier beginnen, in dit grote Paleis? Hoe komen we eruit?

En dan, als we eruit zijn, waar moeten we dan naar toe? We kunnen niet meer in ons eigen huis, daar is het nu te gevaarlijk. Beseffen jullie wel,' zo ging meneer Blom door met iets angstigs in zijn stem, 'beseffen jullie wel, dat we arme verschoppelingetjes geworden zijn? Dat we nergens in de wereld meer thuishoren? Dat we verbannen zijn uit de mensenwereld?'

Nella Della en Johannes keken hun vader verschrikt aan.

'Hoezo, vader?'

'We zullen altijd als angstige vluchtelingen moeten leven,' zei hun vader. 'We zullen ons altijd moeten verstoppen, waar we ook zijn. Altijd als er mensen in de buurt zijn, zullen we gevaar lopen. Wanneer ze ons ontdekken zullen ze vast nare dingen met ons doen.'

'Laten we dan naar buiten gaan,' zei Johannes. 'Ik bedoel – helemaal naar buiten, naar een bos. Daar kunnen we in een holletje wonen.'

'En opgegeten worden door wilde dieren,' bromde meneer Blom. 'Want nu we zo klein zijn, zou een kraai ons kunnen doodpikken, een uil zou ons opeten, een wezeltje kan ons doodbijten.'

'O nee,' fluisterde Wiplala. 'Ik zal wel zorgen dat dat niet gebeurt! Ik zal ze allemaal betinkelen, elk beest dat ons wil aanvallen. Wees maar niet bang, vader.'

'Hm,' mompelde meneer Blom, 'daar had ik niet aan gedacht. Jij zou ons inderdaad enorm goed kunnen helpen, Wiplala. Ja, we zouden dus het beste maar zo gauw mogelijk helemaal weg kunnen gaan, naar een bos.'

'Misschien kunnen we weer een duif vinden, die

68

ons wil wegbrengen,' zei Nella Della. 'Ga eens kijken op het dak of je niet weer een of andere duif ziet, Wiplala.'

'Ik ken niet alle duiven,' zei Wiplala. 'Die van gisteren was een kennis van me.'

'Maar je kunt toch alle duiven verstaan? Je kent toch hun taal? En ze kunnen jou verstaan? Je kunt toch met iedere duif praten?'

'Jawel,' zei Wiplala. 'Goed, ik zal er eentje opzoeken.' Hij klauterde behendig op het raamkozijn en kroop naar buiten, op het dak.

'Ik heb zo'n honger,' zei Johannes. 'Er is hier zeker niets te eten, he?'

'Nee natuurlijk niet,' zei Nella Della. 'En we moeten nodig ontbijten. Zou hier niemand zijn, in dit Paleis? Is de Koningin er niet?'

'Nee,' zei meneer Blom. 'De Koningin is er niet. Die komt maar een enkele keer hier. Maar er moet hier wel een huisbewaarder zijn. Zelfs meer dan één, dacht ik. Die wonen hier altijd. Maar ik hoor niemand. Jullie?'

Ze luisterden. Het was doodstil. Alleen hoorden ze plotseling het carillon boven in de paleistoren het kwartier spelen.

'Daar ben ik weer,' riep Wiplala en hij kroop door het raam naar binnen. 'Ik schrok zo van dat getjingel, maar het zijn alleen de klokken maar.'

'Heb je een duif gesproken?'

'Nee, enkel maar een mus. En die wou niet. Hij is niet sterk genoeg om vier van ons te dragen, zegt hij. En hij had ook geen zin om voor taxi te spelen, zei hij. Mussen zijn brutaal. Net straatjongens.'

'We hebben zo'n honger,' zei Johannes. 'Kun jij niet wat eten voor ons bij elkaar tinkelen, Wiplala?'

'He ja, probeer het,' smeekte Nella Della. 'Kijk, hier in die hoek staan een stuk of wat kartonnen doosjes. Kun je die niet veranderen in brood met boter en kaas en een eitje en jam en melk en een appeltje?'

'Ik zal het proberen,' zuchtte Wiplala. Hij ging bij de kartonnen doosjes staan. Ze waren iets groter dan lucifersdoosjes. Hij deed zijn ogen dicht, zuchtte nog eens, mompelde iets, wriemelde met zijn vingers en zei: 'Daar.'

'Wat? Maar Wiplala, het zijn nog doosjes. Of wacht, nee, ze zijn nu van steen. Het zijn stenen dozen geworden. Wiplala, waar blijft het lekkere eten?' Nella Della keek hem verwijtend aan.

'Het gaat niet,' zei Wiplala en hij keek diep wanhopig. 'Je weet toch dat ik SOMS kan tinkelen en SOMS niet? Nou, vandaag is het weer helemaal mis. Vandaag kan ik niets.'

'Laten we dan maar eens in het Paleis gaan rondneuzen,' zei meneer Blom. 'Heel voorzichtig, natuurlijk, en op onze tenen. Misschien is er beneden ergens een keuken. Wie weet vinden we iets te eten. Die huisbewaarders moeten toch ook eten.'

Ze stonden allemaal op van het grote zachte bed, lieten zich op de vloer zakken en ontdekten dat de deur van het kamertje op slot was.

'Daar heb je het!' riep meneer Blom. 'Nog opgesloten ook!'

'We kunnen wel door die kier aan de onderkant,' zei Wiplala.

Inderdaad was er onder de deur een geweldige kier. Ze gingen op hun buikjes liggen en probeerden zich door de kier te persen.

Het was wel moeilijk en nauw, maar na veel gekreun en gepers waren ze erdoor.

'He he,' zei Nella Della. 'Gelukkig dat die kier er was. Ik vind dat ze het Paleis niet goed schoonhouden. Mijn bloes is pikzwart van het stof. En jullie zijn ook vies. O, kijk een trap!'

'Voorzichtig de trap af, kinderen,' zei meneer Blom. 'Kom, we glijden langs de leuning, dat zal veel makkelijker zijn dan over de treden.'

Het was heerlijk. Ze gleden langs de leuningen van vier trappen en Johannes en Nella Della kraaiden van vreugde toen ze daar zo pijlsnel roetsten.

'Ssst, en nu heel stil lopen,' zei meneer Blom. 'We zijn in de hal.'

'Wat prachtig is het hier,' zei Nella Della. 'Kijk eens, allemaal marmer met zuilen en met schilderingen op het plafond! Kijk toch eens!'

'Ik hoef geen marmer en geen schilderingen,' klaagde Johannes. 'Ik wil een ei en drie boterhammen!'

Ze liepen heel lang door de machtige vertrekken van het Koninklijk Paleis. Heel voorzichtig slopen ze langs de kanten en ze waagden zich nergens midden in de zalen.

'Dit is, geloof ik, de burgerzaal,' zei meneer Blom. 'Ik vind het wel heel mooi, maar eten is hier beslist niet. Laten we er maar weer uit gaan.' Ze kwamen weer in een ander vertrek, vol beeldjes en schilderijen.

Toen hoorden ze opeens roepen: 'Hee! Wat is dat!'

Dodelijk verschrikt keken ze op en zagen een man op hen afkomen. Een man in een blauwe jas met koperen knopen. Hij zag eruit als een deftige museumsuppoost. Ze zagen hem maar één ogenblik, want het volgende ogenblik draaiden ze zich bliksemsnel om en renden weg. Wiplala liep voorop. Hij schoot als een aal een deur door en de anderen sprongen hem achterna. Op de marmeren vloer hoorden ze de voetstappen van de suppoost achter zich naderen. Klep, klep, klep, zware holle voetstappen. Hij had hen gezien, hij wilde hen pakken. Ze hadden – o lieve help – geen tijd meer om naar een schuilplaats uit te kijken. Wiplala zag het eerst die jas hangen. Het was een mannenjas die over een laag krukje hing, zodanig dat de zak van de jas de grond raakte. En die zak stond uitnodigend open. Wiplala sprong er behendig in en de anderen volgden hem. Ze gleden vanzelf naar beneden, onder in de zak, waar het erg naar tabak rook. Doodstil hielden ze zich en ze hijgden geluidloos daarbinnen in die donkere zak.

De suppoost was nu vlak bij de kruk met de jas. Zou hij het gezien hebben, dat ze erin waren gekropen? Zou hij de jas pakken? Zou hij in de zak voelen? Nee, ze hoorden hem mompelen in zich zelf, ze hoorden hem stoelen op zij schuiven en rondscharrelen. Blijkbaar zocht hij naar hen en hij keek overal onder, mopperend omdat hij hen niet kon vinden.

'Hij vindt ons lekker niet!' fluisterde Wiplala.

'Sssst!' zei meneer Blom.

Nu hoorden ze opeens een andere stem. Ook een mannenstem. 'Zoekt u iets?' vroeg de stem.

'Nee, of ja...' zei de suppoost wat bedremmeld. 'Ik

stond daar in de galerij en toen zag ik een soort –
beestjes.'

'Een soort beestjes?'

'Ja, misschien muizen, dacht ik. Maar ze liepen op hun
achterpoten en ze hadden kleertjes aan.'

'Ha ha!' bulderde de nieuwe man. 'Meneer, u moet
eens op vakantie. Muizen met kleertjes aan! Hi hi!' Hij
hinnikte van pret. Blijkbaar vond hij het een prachtige
grap. 'Kom,' ging hij door, 'het karweitje is klaar. De lei-
ding is gerepareerd, meneer. Ik heb die buis ook even nagekeken, en die schakelaars vernieuwd. Waar is m'n ge-
reedschap? O hier. En dan ga ik maar. Nou tot ziens
dan.'

'Tot kijk,' zei de suppoost. 'Stuur de rekening maar
naar mij, onder mijn naam, maat. En je zou ook nog
eens een paar plafondlampen meebrengen.'

'Dat komt voor mekaar, dat zal ik doen,' zei de ander.
Daarbinnen in de zak van de jas begrepen ze nu dat het
een elektricien was die het licht had nagekeken.

'Van die matglaslampen,' zei de suppoost. 'Het waren
een soort kabouters.'

'Wat?' riep de elektricien. 'Waar hebt u het over?'

'Over die beestjes. Het waren geen beestjes, het waren
een soort dwergjes.'

De elektricien begon opnieuw heel hard te bulderen
van het lachen.

'U bent een mooie,' zei hij. 'U woont in een groot paleis en u ziet kabouters! U moet er heus eens uit. Als je
zo lang in een paleis woont, zie je allerlei vreemde dingen
die niet bestaan.'

'Ja ja, dat kan wel wezen,' zei de suppoost moe.

'Nou, tot kijk dan,' riep de elektricien. 'O ik zou haast m'n jas vergeten.'

En plotseling voelden de kleine wezentjes daarbinnen in de zak dat ze werden opgetild met jas en al.

Hoofdstuk 8 *Ontbijtkoek*

Binnen in de zak hielden meneer Blom en Nella Della elkaar angstig bij de mouw. En Wiplala en Johannes grepen zich ook aan elkaar vast.

Wat deed de elektricien nu? Hij scheen buiten op straat te staan. Ze voelden de buitenlucht en ze hoorden het geraas van auto's en ze hoorden het fluitje van de verkeersagent. Opeens hoorden ze een verschrikkelijk lawaai onder zich. De man ging op zijn brommer zitten en zette de motor aan. Daar ging het, daar reden ze, hard door de straten van Amsterdam. Het was een geronk en een herrie en het schokte zo. En bovendien zagen ze helemaal niets, daar in die donkere zak.

Waar zou hij hen heen brengen? En zou hij hen misschien vinden, straks? Ieder ogenblik kon hij zijn hand weleens in de zak van zijn jas steken en dan waren ze verloren. Meneer Blom voelde naast zich een pakje sigaretten en aan de andere kant een doosje lucifers. Natuurlijk zou die man straks een sigaret willen opsteken, dan móést hij zijn hand wel in z'n zak steken.

'We moeten de sigaretten en het doosje lucifers boven ons hoofd houden,' schreeuwde meneer Blom. Hij kon nu veilig schreeuwen want het gebrom overstemde toch alles.

Ze hieven gezamenlijk het pakje sigaretten en de lucifers zó ver naar boven dat ze er zelf onder zaten. Bij iedere schok kwamen de doosjes met een bonk op hun hoofdjes neer, dat was een akelig gevoel.

En ja hoor, daar kwam de hand van de elektricien al. Hij greep de sigaretten en de lucifers, maar voelde niet dieper in zijn zak.

Ze slaakten alle vier een zucht van verlichting.

Johannes dacht: Nu heb ik altijd zo graag op een brommer willen zitten. Maar wie had kunnen dromen dat ik er nog eens op deze manier op zou zitten, in de zak van een elektricien?

Ze stonden stil. De elektricien zette zijn bromfiets neer en ging een huis binnen. Het moest een winkel zijn, want ze hoorden een bel overgaan, toen hij de deur opende.

Een vrouwenstem begon te praten: 'Zo, ben je daar eindelijk? We hebben al drie dagen geleden gewaarschuwd. We hadden achter kortsluiting en we weten niet waar 't van komt. Waarom ben je niet eerder gekomen?'

'Tja, de drukte,' zei de elektricien. 'We hebben personeeltekort, ziet u, mevrouw. Maar laat u maar eens zien wat er aan de hand is.'

Hij deed zijn jas uit, en legde deze op de grond.

'Kom maar 's mee kijken,' zei de vrouwenstem. 'Hier, deze kant op.'

Ze gingen weg, naar een vertrek achter de winkel. Johannes stak zijn hoofd voorzichtig uit de zak en keek eens goed rond. Het rook zo heerlijk naar kaas en naar vanillekoekjes. En ook naar gerookte paling. En ook naar sinaasappelen.

'Kom maar, er is niemand,' zei hij. 'Het is nog zo vroeg, er zijn nog geen klanten in de winkel. En de mevrouw van de winkel staat met de elektricien ver weg, in de huiskamer.'

De anderen kropen nu ook uit de zak en ze keken allemaal om zich heen.

'Een kruidenierswinkel,' zei meneer Blom.

'Een vruchtenwinkel!' zei Nella Della.

'Een viswinkel,' zei Wiplala.

'Alle drie,' zei Johannes. En dat was ook zo. Dit was een van die heerlijke delicatessenwinkels, waarin je van allerlei heel fijne etenswaren kunt kopen.

'Nu kunnen we ontbijten,' riep Nella Della. 'Wat willen jullie hebben? Kaas? Of worst? Of, o, wat is er veel en wat ruikt het allemaal verrukkelijk!'

'We mogen eigenlijk niet stelen,' zei meneer Blom. 'Maar we hebben erge honger en we zijn maar héél klein. We hebben maar zulke kleine buikjes. Ik vind dat we voor deze éne keer wel van dit alles mogen eten.'

Nella Della was op een grote gele pruim aangevallen. Wiplala at van de rozijnen en Johannes had een plakje kaas te pakken. Meneer Blom was nog niet klaar met redeneren. Hij at niet, hij praatte: 'Kijk,' zei hij, 'ik vind stelen en snoepen uit een winkel schandelijk. Het mag volstrekt niet, maar ik zou het later uit kunnen leggen. Later, als wij weer grote, normale mensen zijn, dan zal ik hierheen gaan en het allemaal uitleggen.'

'Eet toch iets, vader,' riep Nella Della. 'Kijk eens, ik ben aan de leverkaas bezig.'

'En ik heb koekjes gevonden!' schreeuwde Johannes.

'Als we weer groot zijn,' ging meneer Blom door, 'dan gaan we naar deze winkel terug om alles te betalen wat we hebben opgegeten. Ik heb nu natuurlijk geen geld. Of wacht eens, ik moet nog altijd dat tientje in mijn zak hebben.' Meneer Blom greep in de zak van zijn vest en haalde er zijn heel klein portefeuilletje uit. En uit dat portefeuilletje kwam een heel klein biljetje van tien gulden te voorschijn. 'Te klein,' mompelde hij. 'Ze zullen niet eens kunnen zien wat het is, het is nog veel kleiner dan een postzegel. Nee, laat ik het maar liever in mijn zak houden.'

'Vader, vader, eet toch,' riep Nella Della. 'Straks komen ze misschien weer in de winkel.'

Meneer Blom liet zijn ogen dwalen over al die heerlijkheden, de gemberpotten en haringblikjes, amandelen en confituren, perziken en garnalen, biscuits en rolmops en bitterkoekjes en limonade en – hij werd er bijna duizelig van, want het was ook allemaal zo groot en zo veel voor zulke hele kleine mensjes als zij nu waren.

'Daar komt iemand – gauw gauw,' riep Johannes. 'Wegkruipen, daar, in die kast achter de toonbank!'

'Hier,' riep Nella Della. Ze volgden haar en hesen zich op de onderste plank van een volgeladen kast. Daar kropen ze weg tussen een pot pindakaas en een hele grote ontbijtkoek. Het was daar veilig en rustig.

Ze hoorden de winkeldame en de elektricien weer, vlak bij hen in de winkel, maar ze waren nu niet meer bang. Als de winkeljuffrouw op hun plank iets zou grijpen, dan nog konden ze zich tussen de achterste potten en de achterste ontbijtkoeken verbergen, want er lag zó-

veel op hun plank, en ze waren maar zo klein.

'We blijven hier een hele tijd,' zei Nella Della. 'We kunnen hier net zoveel eten als we willen. O, vader, jij hebt nog niks gegeten! Eet toch een stukje van die koek!'

Meneer Blom aarzelde. Hij vond het eigenlijk zo slecht om in een wildvreemde winkel bij wildvreemde mensen van een wildvreemde koek te snoepen dat hij zijn aarzeling haast niet kon overwinnen. Maar ten slotte nam zijn hongerig gevoel de overhand. Hij scheurde het papier los van de grote ontbijtkoek en begon te happen.

'Wij ook, wij ook,' riep Johannes. 'Wij hebben ook nog niet veel ontbeten!' En daar vielen ze alle vier op de koek aan. Ze begonnen er gulzig van te happen, ze groeven met hun tandjes erin, ze aten een hele tunnel door de koek. Vier kleine dwergjes en één hele grote ontbijtkoek.

'O, het is hier veel beter dan in het Paleis,' zei Nella Della.

'En of,' zeiden de anderen, met volle mond. Ja, het was een heerlijk ontbijt. Maar daarna? Daarna werd het een treurige toestand. Want ze konden zich haast niet bewegen op die volle plank. En ze durfden niet te voorschijn te komen, want de winkel was vol mensen, de hele verdere dag. De ene klant ging, de andere kwam; soms stonden er wel tien tegelijk in de winkel. Vlak bij hen was de rug van de winkeljuffrouw. Ze verveelden zich zo, ach, wat verveelden ze zich! Zelfs praten was gevaarlijk, ze durfden nauwelijks te fluisteren.

'We moeten vanavond een plekje zoeken in het magazijn,' zei meneer Blom heel zachtjes. 'Hier is het ook veel te gevaarlijk. Er zal toch wel een magazijn zijn, ergens achter de winkel?'

Nauwelijks had hij dit gezegd of de mevrouw van de winkel draaide zich om en greep op hun plank naar een potje mosterd.

Daarbij zag ze toevallig de koek met het gescheurde papier en ze pakte de koek van de plank. Meneer Blom en de anderen kropen behendig naar het achterste donkerste hoekje achter een paar pakken macaroni.

'Wel verdraaid!' riep de winkeldame. 'Dat is me ook wat moois! Muizen! De muizen hebben van me koek gevreten! Ali! Ali!'

Ali kwam aandraven, een jong meisje van een jaar of vijftien.

'Ali! Moet je zien, we hebben muizen! Maak jij die plank straks even helemaal leeg, wil je? Kijk, of er muizekeutels liggen en maak alles schoon. We moeten vannacht maar een val zetten en de poes in de winkel laten. Stel je voor, muizen! Sinds tien jaar heb ik geen muizen meer in de zaak gehad! Maak jij direct die plank even schoon, Ali?'

'Ja, mevrouw,' zei Ali.

De kleine wezentjes daar achter op de plank trilden van angst. Wat moesten ze doen? Ze zouden nu stellig worden ontdekt! Ze konden onmogelijk van deze plank op een andere plank kruipen, zonder gezien te worden. En straks zou Ali hen vinden, als ze alle pakken en potjes weghaalde.

Ze keken elkaar hulpeloos aan en Nella Della begon te huilen. Wiplala kreeg weer iets kwaadaardigs in zijn oogjes, hij had het liefst alle mensen in de winkel in steen betinkeld. Maar meneer Blom zei zachtjes tegen hem: 'Geen getinkel, versta je?'

'Ja vader, nee vader,' zei Wiplala.

'We zullen maar hopen dat ze niet onaardig tegen ons zijn,' zei meneer Blom met trillende stem. 'We zullen wel zien.'

Daar was Ali met een borstel en een doek om de boel schoon te maken. Ze pakte de voorste potjes en pakjes van de plank. Nog had ze niets gezien, want ze zaten veel verder achteraan.

Daar klonk opeens een gierend remgeluid op straat.

'Een botsing!' riepen de klanten en ze holden naar de deur van de winkel en naar het raam om te kijken wat er aan de hand was.

Ook de winkeljuffrouw en Ali lieten alles in de steek en holden naar de voorkant van de winkel om te kijken of er werkelijk een ongeluk was gebeurd. Maar het wás geen echt ongeluk; het was alleen maar bíjna een botsing geweest. Iedereen draaide zich om en keerde zijn gezicht weer naar de toonbank. En ook de winkeljuffrouw en Ali gingen door met hun werk.

'Dat verkeer is ook zo gevaarlijk tegenwoordig,' zei de winkeljuffrouw. 'Ben je klaar met de plank Ali?'

'Ik zie geen muizevuil, mevrouw,' zei Ali. 'Ik heb al de pakken en potten van de plank gehaald. Maar ik zie verder niks.'

'Zo, nou des te beter,' zei mevrouw. 'Alleen zullen we tóch maar vannacht de kat in de winkel laten.'

Op de vloer, achter een grote stapel kazen, zaten meneer Blom, Wiplala, Nella Della en Johannes te beven. Toen iedereen zich had omgedraaid om te gaan kijken naar het ongeluk, hadden zij zich pijlsnel van de plank af laten glijden en hadden in die enkele seconden kans gezien hier een schuilplaatsje te vinden. Maar hoe lang zaten ze hier nog veilig? Hoe lang? Zouden ze hier toch nog ontdekt worden?

Hoofdstuk **9** *De fruitmand*

Ze werden niet ontdekt. De hele dag werden ze niet ontdekt. Tegen zessen gingen de lichten aan in de winkel. De mevrouw legde alle paling en haring en worst in de ijskast; ze ruimde overal een beetje op. Ali veegde de winkelvloer aan, maar ze vergat gelukkig het plekje achter de kaas.

'Ziezo, en nou de kat in de winkel,' zei mevrouw.

Doodstil bleef de kleine familie zitten, tot de winkel was gesloten en zowel de mevrouw als Ali verdwenen was.

Toen keek Wiplala heel omzichtig van achter de kaas om een hoekje. Hij trok zijn hoofdje weer terug en fluisterde: 'Hij zit er.'

'Wie? De kat?'

'Ja, een grote kat.'

Nella Della keek ook even om een hoekje en zag hem ook. Het was een mooie zwarte kater met een witte bef en witte snorren en witte voetjes. Een hele lieve kater. De hele familie Blom was dol op poezen en ze zouden dan ook het liefst naar hem toe zijn gegaan om hem te aaien. Maar als je zo klein bent als een muis, dan word je ook zo bang als een muis, en dat waren ze ook. Zo bang als muizen.

'Eigenlijk zijn we niets beter dan muizen,' zei meneer Blom. 'We snoepen van koek en kaas en als de kat komt, verbergen we ons in een hoekje.'

'Hij snuffelt al,' riep Johannes die ook even keek. 'Hij komt al hierheen.'

'Zal ik...' begon Wiplala en hij bewoog zijn handjes al.

'Ja, Wiplala,' zei meneer Blom ernstig. 'Hoe het me ook aan het hart gaat, ik geloof dat het beter is hier maatregelen te nemen. Die kat is levensgevaarlijk voor ons. En we kunnen niet hard gaan lopen, of op een plank klimmen, want hij zal wel sneller zijn dan wij. Lieve Wiplala, ik hoop dat je het later ongedaan kunt maken, maar ik vind dat je die kat moet betinkelen.'

'Het is al lang gebeurd, vader,' zei Johannes. 'Kijk maar, de kat is al van steen.'

Ze kwamen nu van achter de kazen te voorschijn. Daar stond de zwarte kat, zijn neus speurend in de lucht, zijn ene voorpoot geheven, een prachtig zwart standbeeldje.

'Ach, arme poes,' zei Nella Della zacht. 'Ik hoop dat je niet lang van steen hoeft te blijven.'

'Ziezo,' zei meneer Blom. 'Nu moeten we eens gaan bedenken, hoe we hieruit moeten komen. Want we moeten die winkel uit, dat staat vast. Het is hier te gevaarlijk. Overdag zijn er te veel mensen. En 's nachts is er een kat. Weliswaar is de kat nu van steen, maar als die mevrouw

84

morgen merkt dat haar kat is versteend, zal ze vast groot misbaar maken.'

'Mogen we nog even rondneuzen hier?' vroeg Nella Della.

'Goed,' zei hun vader, 'maar niet te veel meer snoepen hoor. We hebben nu wel genoeg gegeten.'

Het was erg moeilijk om niet te snoepen. Er waren kersen, en pruimen en heerlijke roze perziken. Er waren gedroogde appeltjes en tutti frutti. Ze snoepten van alles een heel klein beetje.

'Kijk mij 's zitten!' riep Nella Della. Ze zat boven op een reusachtige krentencake. En Wiplala zat tussen de vijgen. En Johannes, waar was Johannes?

'Help,' hoorden ze roepen. Het was Johannes' stem.

'Waar zit je dan! Johannes, waar ben je?'

'Hier! In de ton! Help, ik verdrink, ik kan me niet meer vasthouden. Help dan toch!'

Ze renden allemaal naar de kant vanwaar de stem klonk. Er stond daar een vat met augurken in azijn. Daar was Johannes in terechtgekomen. Hij hield zich moeizaam staande op de drijvende augurken in een zee van azijn, maar telkens zakte hij tot zijn hoofd toe weg. Het was een droevig gezicht.

Met erg veel moeite kregen ze Johannes weer op het droge. Hij rook erg zuur en hij was zo nat als een dweiltje.

'Dat heb je ervan,' zei meneer Blom misprijzend, 'jullie zijn ook zo...' Hij zweeg. Ze stonden allemaal doodstil want vlak bij hen, in de winkel, klonken twee mensenstemmen.

Zonder een woord te zeggen, keken ze uit naar een geschikte schuilplaats.

Vlak bij hen stond een grote mand met vruchten. Sinaasappelen, vijgen, noten, appelen en ook een paar flessen met ingemaakt fruit. Zwijgend en snel klommen ze alle vier in de mand en verborgen zich diep in de holten tussen de vruchten en de flessen.

Ze hoorden de welbekende stem van de mevrouw zeggen: 'Maar ik heb beloofd dat we het vanavond nog zouden brengen.'

Een jongensstem antwoordde huilerig: 'Maar ik wou nog fijn een beetje buiten spelen.'

'Dat kun je ook, Jan,' zei de mevrouw. 'Breng die mand nou even naar het ziekenhuis, het is hier vlakbij. Je moet in het kinderziekenhuis zijn, tweede etage, nummer zes.'

De hele familie Blom hield de adem in.

'Kan ik het morgen niet doen?' vroeg de huilerige Jan.

'Nee,' zei z'n moeder beslist. 'Doe dit nou maar even.'

'Wat staat die kat daar gek, moeder,' zei Jan, opeens niet meer huilerig, maar verwonderd.

'Die kat?' zei mevrouw, en ze zweeg verbaasd. Zij en Jan gingen naar de kat toe.

Wiplala boog zijn hoofdje voorover tussen twee appelen en stak zijn handjes uit. Een ogenblik later hoorden ze Jan zeggen: 'Hee, wat gek, begrijp je dat nou, mam? Ik voelde aan de kat z'n rug en hij was net een stenen beeldje. En nou is ie weer heel gewoon. We hebben het ons zeker verbeeld. Zul je goed muisjes vangen, poes?'

'Mrauw,' zei de poes en kwam al snuffelend op de mand af.

86

'Kom, schiet op,' zei de moeder tegen haar zoontje. En Jan nam de mand op en ging ermee de winkel uit.

Daarbinnen in de mand lachten ze heel zacht. Die knappe Wiplala. Op 't laatste moment had hij toch nog even de poes teruggetinkeld! Wel, in elk geval kwamen ze nu de winkel uit. En ze gingen naar een ziekenhuis? Dat betekende dus weer nieuw gevaar. Nieuwe angst! Daar gingen ze. Ze voelden hoe de jongen hen voorzichtig langs de straten droeg. Het was voor hen donker, ze zagen niets. Ze zaten doodstil verborgen, diep onder het fruit.

'We gaan naar een ziekenhuis,' fluisterde meneer Blom.

'Dan worden we ontdekt,' klaagde Nella Della. Johannes zei niets. Hij was nog te zeer ontdaan van zijn bad tussen de zure augurken.

Wiplala zweeg ook. Hij hield zich vast aan een banaan en keek boos, met toegeknepen oogjes en gebalde vuistjes. Hij was van plan om zich te verdedigen, in geval van nood.

Ze hoorden de jongen praten met de portier van het ziekenhuis en ze voelden hoe ze in de mand de trap op werden gedragen. Toen, na een poosje, hoorden ze een meisjesstem, die riep: 'Is dat voor mij? Vruchten! Alweer vruchten? En ik héb al zoveel vruchten. Nou, in elk geval bedankt.' En ze zette de mand neer, naast haar bed.

Ze had nog niks gemerkt. Daarbinnen in de mand hielden ze zich doodstil en ze bewogen niet. Misschien zou het kleine zieke meisje de mand niet direct uitpakken. Johannes zat het meest bovenin, tussen de druiven. Hij gluurde voorzichtig en hij zag het kind in bed liggen.

Ze had een heel lief, heel bleek gezichtje. Ze was alleen in de kamer. Zou ze haar beentje gebroken hebben? Zou ze erg ziek zijn? Als ze straks in slaap valt, kunnen we stiekem ontsnappen, dacht Johannes. Maar het meisje hief haar hoofd van het kussen en bracht haar neus dicht bij de mand. 'Azijn –,' zei ze zachtjes voor zich uit. 'Azijn! Ik ruik azijn, er zitten toch geen augurken in een vruchtenmand?'

Ze snuffelde en snoof en Johannes trok zich haastig terug achter de druiventros. En door zijn beweging viel er een pruim om en daardoor ook een roze appel. Meneer Blom riep: 'Au!' Want hij kwam klem te zitten tussen een banaan en een fles en Nella Della lag ondersteboven, terwijl de kleine Wiplala bijna uit de mand rolde.

Het zieke meisje in bed gaf een gilletje en staarde naar de mand, alsof ze spoken zag. 'W-w-w-w-w-wat is dat?' riep ze angstig.

Nella Della vond het beter om maar ineens te handelen. Ze krabbelde overeind, wrong zich tussen het fruit vandaan en sprong op het bed. 'Niet schrikken,' zei ze. 'Asjeblief niet schrikken, ik ben een gewoon meisje, net als jij, alleen wat kleiner. Nee, druk niet op dat belletje. Trek je hand terug en roep niemand!'

Het zieke meisje trok haar vinger terug van de bel, waarop ze juist had willen drukken.

'Wie ben je?' vroeg ze, nog angstig, maar toch ook nieuwsgierig en verrukt.

Hoofdstuk **10** *Lotje*

'Ik heet Nella Della. En mijn vader is er ook. Kijk, daar komt hij, uit de mand. En dat is mijn broertje Johannes. En dit is Wiplala.'

'Vier poppetjes!' zei het meisje opgetogen. 'Vier levende poppetjes!' Ze klapte in haar handen en haar ogen straalden.

'We zijn helemaal geen poppetjes,' zei Johannes verontwaardigd. 'We zijn heel gewone mensen maar door een ongelukkig toeval zijn we zo klein geworden. En hoe heet jij? En ben je erg ziek?'

'Ik heet Lotje,' zei het meisje. 'En ik ben al drie maanden ziek. Mag ik jullie aan de zuster laten zien? Ik heb zo'n lieve nachtzuster!'

'Nee! nee!' riepen ze allemaal en meneer Blom begon ernstig te praten. Hij sprong op het hoofdkussen van Lotjes bed en legde het haar uit: 'Lief kind, ik smeek je, laat ons niet aan de zuster zien en ook niet aan de dokter of aan wie dan ook. Voor jou zijn we niet bang want je ziet er uit of je ons geen kwaad zult doen.'

'Natuurlijk zal ik jullie geen kwaad doen,' zei Lotje, en kreeg een kleur. 'Stel je voor, ik ben veel te blij dat ik jullie zo maar krijg.'

'Juist,' zei meneer Blom. 'Maar van grote mensen zijn we bang. Weet je, grote mensen begrijpen het niet zo erg. En als ze ons zouden vinden, dan maken ze enorm spektakel en willen ons opsluiten om ons te laten bezichtigen voor geld. Of ze zullen ons Wetenschappelijk Onderzoeken. Wij zijn dus bang om ontdekt te worden.'

'Maar hoe komen jullie in die mand?' vroeg Lotje. 'En waar komen jullie vandaan? Ik dacht eigenlijk dat jullie bij het cadeau hoorden. Die mand heeft mijn tante laten sturen. Heeft ze jullie dan niet daarin verpakt?'

'Ik zal het je precies allemaal vertellen,' zei Johannes.

'Nee, ik zal het haar vertellen,' riep Nella Della.

En ze kregen ruzie wie het aan Lotje mocht vertellen.

'Om beurten,' zei meneer Blom. 'Begin jij maar, Johannes.' En zo vertelden ze aan Lotje het hele verhaal, van het begin af. Lotje zat te luisteren met schitterende ogen en toen het verhaal uit was, nam ze Wiplala in haar handjes en keek lang en belangstellend naar hem.

'Kun je niet maken dat ze weer groter worden?' vroeg ze aan Wiplala.

Wiplala keek, zoals altijd, een beetje schuldbewust. 'Nee,' zei hij. 'Ik weet dat er iets is, wat je moet eten. Als ik dat vind, kan ik ze weer groot maken. Maar ik ben vergeten wat het was.'

'Daar komt de zuster,' fluisterde Lotje. 'Gauw, in de la van mijn nachtkastje.' Ze pakte meneer Blom en de anderen een voor een op en stopte hen vliegensvlug in de la naast haar bed.

Terwijl ze daar in de donkere la zaten, hoorden ze de zuster rondscharrelen in de ziekenkamer. Ze konden haar natuurlijk niet zien, maar ze hoorden haar praten.

'Wat een kleur heeft mijn klein meisje,' zei de zuster. 'Ik zal je even temperaturen. Heb je geslapen? En gedroomd? Of heb je je liggen opwinden?'

'Ja zuster, nee zuster,' zei Lotje.

'Zal ik eens een paar sinaasappelen voor je schillen? Of wat andere vruchten, voor je gaat slapen?'

'Ja graag, zuster, en een perzik en een pruim en twee appelen en wat noten graag.'

'He? Zoveel? En anders wil je nooit vruchten eten!'

'O maar nou heb ik er zo'n trek in,' zei Lotje.

'Goed, ik zal een heel bordje vruchten voor je klaarmaken.'

Het duurde wel een halfuur, voor de zuster weer wegging. En toen ze weg was, trok Lotje de la weer open.

'Kom er maar weer uit, ze is weg,' fluisterde Lotje. 'Wacht, ik zal jullie helpen. Kijk eens, een heel bord met fruit. Nu kunnen jullie net zoveel eten als je wilt.' Ze spreidde een servet uit over haar bed en even later zaten ze met z'n allen heerlijk te eten van al dat lekkers.

'Jij moet zelf ook meeëten, Lotje,' zei meneer Blom. 'Dat is goed voor je.'

'Ik heb altijd zo weinig trek,' zuchtte Lotje. 'Dat is zo naar. Als ik maar wat beter kon eten, dan zou ik misschien ook wel opknappen. Ik ben al drie maanden ziek. Eerst lag ik bij andere kinderen op een zaal, maar de dokter vond het toen beter dat ik alleen lag.'

'En vind je dat niet verschrikkelijk?' vroeg Nella Della. 'En hoe vaak zie je je vader en je moeder?'

'O, iedere dag. En soms twee maal per dag. En ze zijn verschrikkelijk lief voor me. Iedereen is lief voor me. Als het bezoekuur is, dan komen er ook wel eens vriendinnetjes en nichtjes en tantes en ze vertellen me alles en ze brengen allerlei speelgoed en lekkers mee, dus ik word wel heel erg verwend.'

Lotje keek treurig, terwijl ze dit allemaal vertelde.

'Maar je verlangt toch zeker wel naar huis?' vroeg Johannes.

'Ja, en naar school en naar het zwembad. En naar gewone spelletjes op straat en naar touwtjespringen. Weet je, ik zou zo graag weer eens over een brug lopen en in het water spugen. Vinden jullie dat gek?'

'O nee, ik begrijp het best,' zei Nella Della. 'Ik begrijp het nu des te beter, omdat ik zelf ook geen gewoon kind meer ben. Ik kan er ook zo naar hunkeren om weer eens met mijn vriendinnetjes gek te doen en arm in arm over straat te slieren met z'n allen en heel hard te lachen. Wij zijn nu vluchtelingetjes geworden en we hebben het gevoel of de hele wereld ons achternazit.'

'Jullie moeten hier blijven,' zei Lotje. 'Zolang er niemand in de kamer is, zullen we het heerlijk hebben met z'n vijven. We zullen elkaar verhaaltjes vertellen, we zullen samen spelen en eten. Kom, ik neem ook een sinaasappel.' En Lotje begon gretig van het fruit te eten.

'En zodra er iemand binnenkomt,' ging ze verder, 'zodra ik voetstappen op de gang hoor, en ik hoor het altijd direct, dan stop ik jullie in mijn la. En niemand kijkt ooit in die la. Die la is het enige wat van MIJ is en niemand mag er ooit in kijken.'

'Hier blijven?' prevelde meneer Blom.

'Ja natuurlijk,' zei Johannes. 'Laten we hier blijven. Nu we Lotje hebben die ons beschermt, hoeven we immers niet bang te zijn? We hebben hier eten, nietwaar Lotje, we mogen van jouw eten eten?'

'Je mag van mijn eten eten,' lachte Lotje. 'Zoveel je wilt. En ik zal jullie uitkleden en aankleden en bij mij in bed stoppen.'

En ze pakte meneer Blom op, om hem uit te kleden.

'Nee, nee, wil je me wel eens loslaten,' schreeuwde hij. 'Ik kan me zelf heel best uitkleden. Stel je voor!'

Lotje schaterde en zag er ineens veel beter uit.

'Goed,' zei ze. 'Maar jullie blijven bij me?'

'Voorlopig wel,' zei meneer Blom.

'Misschien kan Wiplala mij beter maken,' zei Lotje. 'Je kunt immers toveren, Wiplala?' Ze nam Wiplala op en hield hem vlak bij haar gezicht. Hij keek haar ernstig aan.

'Ik kan geen zieke mensen beter maken,' zei hij een beetje treurig. 'Ik zou het graag willen, maar ik kan het niet. Ik kan wel een beetje toveren, – tinkelen heet het bij ons, maar ik kan niet zo érg goed tinkelen.'

'En waar moeten we slapen?' vroeg Johannes. 'O Lotje, mogen we hier slapen, aan jouw voeteneind? Daar ligt een leuk lang kussentje, daar kunnen we alle vier ons hoofd op neerleggen. Wat een heerlijk bed!'

En zo bleef de familie Blom bij Lotje in het ziekenhuis. Ze sliepen bij haar in bed, netjes aan het voeteneind. Ze aten van haar eten, ze zongen liedjes voor haar, ze speelden krijgertje over het bed, ze deden allerlei spelletjes. Maar direct, wanneer er iemand binnenkwam, verstopten ze zich in de la, waar nooit iemand in keek. Soms waren ze zo verdiept in een spel dat ze de voetstappen op de gang niet hoorden. Dan werden ze opgeschrikt door het geluid van de deurknop en roets–! weg waren ze, als een troep sprinkhaantjes, want ze hadden in snel vluchten een hele handigheid gekregen.

De bezoekuren waren voor hen wel heel vervelend. Ze moesten dan zo lang in de la zitten, zo verschrikkelijk lang, in het donker, zonder iets te zeggen. Maar na een paar keer zei Lotje: 'Ik zal de la op een kiertje laten staan, dan kun je alles horen en ook af en toe iets zien.' En vanaf die tijd gluurden ze naar buiten, als er bezoekuur was. Dan zagen ze Lotjes vader en moeder. Haar vriendinnen soms, haar neefjes en nichtjes, en eenmaal had een stoute neef zijn hand uitgestrekt naar de la. 'Wat zit daar in?' vroeg hij.

Maar Lotje gaf hem een harde klap op zijn vingers en gilde: 'Afblijven!'

'Nou nou, ik wou toch niet van je stelen,' mopperde de jongen met een kleur.

'Dat is MIJN la,' snikte Lotje, 'en NIEMAND mag daar in kijken.'

'Nou wees maar stil,' suste haar moeder, die er ook bij was. 'Ik kan me erg goed voorstellen dat er één plekje moet zijn, dat helemaal alleen van jou is, en daar mag niemand in kijken.'

De familie Blom trilde en beefde daarbinnenin. En ze waren altijd dolblij als het bezoekuur weer was afgelopen. Langzamerhand kenden ze de stemmen van de zusters, van de bezoekers en van de dokter. Dokter Vink had een heel aardige stem. En ze hoorden hem op een keer zeggen: 'Wat eet je toch flink de laatste tijd. Ik heb het gevoel dat er iets gebeurd is, waardoor je plotseling veel beter bent! En waardoor je ineens bent gaan eten!'

En dat maakte hen allemaal erg gelukkig. Want het was meneer Blom die Lotje aan het eten bracht. Hij vertelde verhalen terwijl ze at, hele lange, hele prachtige verhalen, en zo zoetjes aan, zonder dat ze het zelf merkte, at ze haar bord leeg.

Hoofdstuk 11 *De dokter*

Lotje lag met de handen onder haar hoofd op het witte bedje, in de witte, koele ziekenhuiskamer.

'Ja, ik voel me ook beter,' zei ze. 'Stukken en stukken beter.'

'Zal ik je eens wat zeggen? Over tien dagen mag je naar huis,' zei dokter Vink. 'Is dat fijn, of niet!'

'Naar huis?' vroeg Lotje verschrikt.

'Ja naar huis. Je bent niet meer ziek. Naar huis, da's toch heerlijk?'

'Ik wil niet naar huis,' zei Lotje en ze richtte zich half op, met angst in haar ogen.

De dokter keek haar een hele poos zwijgend aan en zei toen: 'Zou je me niet eens vertellen wat er aan de hand is? Waarom ben je bang? Voor wie ben je bang? Vertel het me maar.'

Lotje schudde haar hoofd. Haar ogen waren vol tranen.

'Wel,' zei dokter Vink, 'we zijn altijd erg goeie vrinden geweest en ik vind dat je me best kunt vertellen wat je dwars zit. Maar je moet niet denken dat ik boos word, als je zwijgt, hoor. Niet boos en ook niet verdrietig. Want ik vind, dat mensen best geheimen mogen hebben. Dus vertel maar niks, als je liever niet wilt.'

Lotje plukte aan de witte sprei over haar bed.

'Ik dacht alleen, misschien kan ik je helpen,' zei dokter Vink.

'Als ik je m'n geheim vertel, dok,' zei Lotje, 'zal je dan – NIETS doen?'

'Ik zal érg goed luisteren,' zei de dokter. 'En als ik goed luister zal ik het ook begrijpen. En als ik het goed begrijp hoef jij echt niet bang voor mij te zijn.'

'Nou,' zei Lotje met een zucht. 'Daar gaat ie dan. Hou je vast, dok! Ik heb vrienden die in moeilijkheden zijn.'

De dokter zweeg en luisterde.

'Het zijn een vader en twee kinderen, een jongen en een meisje. En dan nog een vriendje van de kinderen. Dus vier in het geheel.'

'Komen ze wel eens op het bezoekuur hier? Ik heb ze nooit gezien.'

'Nee, ze komen nooit op het bezoekuur,' zei Lotje. 'Ze zijn hier bij me als er niemand anders is, geen zuster, geen dokter, niemand.'

'Maar,' zei dokter Vink verbluft, 'hoe – hoe komen ze dan binnen? Door het raam?'

'Ze hoeven niet te komen. Ze zijn er altijd,' fluisterde Lotje.

'Ze zijn er altijd?' De dokter keek rond en staarde Lotje aan.

'U denkt dat ik koorts heb,' lachte Lotje. 'U denkt dat

98

ik ijl. Ik zal het uitleggen: kijk, die vader is meneer Blom. Hij is heel geleerd. Hij schrijft een boek. En hij woonde met zijn twee kinderen in een huis, ergens in de stad. Op een dag kwam er een vriendje bij. Het was geen gewoon vriendje, nee, hij was zó groot. En Lotje wees met haar vinger en duim. En dat vriendje heet Wiplala. Hij bleef bij hen wonen en ze houden erg veel van hem, maar weet je dok, die Wiplala kan een beetje toveren. Hij noemt dat tinkelen. Hij kan het een béétje, en dat is wel vervelend. Als hij het góéd kon, dan zouden ze niet zo in moeilijkheden zitten. Maar hij kan het sóms wel en sóms niet.'

Lotje zweeg even en keek tersluiks naar de dokter. Ze zag tot haar opluchting dat hij niet spottend keek en ook niet dodelijk verschrikt, nee, hij luisterde met belangstelling.

'Op een dag,' ging Lotje verder, 'gingen ze met hun vieren uit eten in een restaurant. Maar toen ze alles op hadden kon meneer Blom niet betalen, want hij had niet genoeg geld. Ze werden opgesloten en de politie werd gewaarschuwd. En toen heeft de kleine Wiplala ook de anderen zo klein gemaakt als hij zelf was. Ze konden toen makkelijk ontsnappen en sindsdien zijn ze dus alle vier niet groter dan muizen.'

Ze keek naar de dokter, maar hij zweeg en wachtte op het vervolg van het verhaal.

'Ze hebben heel erg gezworven,' zei Lotje. 'Ze moesten oppassen dat ze niet door mensen werden gevonden. Want mensen KUNNEN erg gemeen zijn.'

De dokter knikte.

'En ten slotte kwamen ze per ongeluk terecht in een

mand fruit. Ik kreeg die mand cadeau, op mijn bed. Ik vond ze en ze zijn mijn vriendjes geworden. Ze zitten nu al weken in deze kamer. En we lachen veel samen.'

Lotjes gezicht straalde ineens.

De dokter boog zich voorover, en zei: 'En daardoor komt het, dat jij beter bent geworden, he? Je had aldoor verdriet, je had heimwee, je verveelde je. Maar nu – zeg, waar zijn ze?'

Lotje lette niet op de laatste vraag.

'Ze zijn erg lief voor me,' zei ze. 'Als er niemand in de kamer is, zitten ze op mijn bed. Ze eten van al mijn eten mee, en we doen de gekste spelletjes. 's Nachts slapen ze aan mijn voeteneind. En als zuster Tine binnenkomt, of iemand anders, dan verstoppen ze zich bliksemsnel. Eén keer kwam de zuster om mij te temperaturen en toen zaten ze nog in mijn bed. Ze zijn toen onder de matras gekropen en bijna gestikt. Het is dus allemaal een beetje griezelig, om het zo stiekem te doen. En ze zijn ook niet helemaal gelukkig hier, dokter. Ze zijn treurig omdat ze klein moeten blijven en niet naar huis kunnen teruggaan.'

'Waarom kunnen ze niet naar huis terug?' vroeg dokter Vink.

'Omdat ze daar ontdekt zijn, door de werkster en de man van de werkster. Ze voelen er zich niet meer veilig. Ze voelen zich nergens meer veilig. Alleen hier, bij mij, omdat ik hen goed bewaak. Weet je, dok, en ik probeer ze altijd op te vrolijken en te troosten. En dat lukt vaak. Ik geloof dat ik dáár zoveel beter van ben geworden. Als je moet proberen mensen vrolijk te maken dan word je daar veel beterder van dan wanneer mensen jou opvrolij-

ken, begrijp je wat ik bedoel, dokkie?'

'O ja,' zei dokter Vink peinzend. 'Natuurlijk, dat is zo.'

'Nou,' zei Lotje. 'Uit angst zouden we het nog weken hebben volgehouden zo, maar nu is Johannes ziek geworden.'

'O jee, is dat het jongetje?'

'Ja, dat is de jongen. En nu heb ik dus gezegd: Ik ga het aan de dokter vertellen. Ze wilden het niet, maar ten slotte gaven ze toe. Belooft u, dat u niets zult doen. En het aan niemand zult vertellen?'

'Dat beloof ik,' zei de dokter ernstig.

'Hier zijn ze,' zei Lotje.

Ze trok een grote bonbondoos naar zich toe, die aan haar voeteneind lag. Het was een enorme doos, waar zeker wel een pond bonbons in had gezeten. Een kartonnen doos met blauwe en roze bloemen erop. Ze deed de doos open. Daar lagen netjes op een rijtje, meneer Blom, Nella Della, Johannes en Wiplala. Ze lagen in het zilverpapier en Johannes had bovendien een stukje watten over zich heen. Wiplala gromde een beetje en liet zijn scherpe tandjes zien. Hij was bang. De anderen glimlachten en meneer Blom stond het eerste overeind, kwam uit de doos, stak zijn hand uit en zei: 'Hoe maakt u het, dokter?'

'Heel goed, dank u,' zei dokter Vink en hij schudde het kleine handje dat hem werd toegestoken. Toen kwamen Nella Della en Wiplala uit de doos. Johannes bleef liggen. Hij had een rood koortsig gezichtje en hij trok de watten over zich heen.

'Ik heb er dus een patiëntje bij, in deze kamer,' zei

dokter Vink. 'Het allerkleinste patiëntje dat ik ooit heb gehad. Ik zal je even onderzoeken, kleine man, doe je truitje maar uit en je hemdje ook.'

Met heel voorzichtige vingers onderzocht de dokter de kleine Johannes. Hij bekeek het kleine tongetje, hij voelde het kleine polsje en hij keek met een vergrootglas in zijn kleine keeltje.

'Een beetje keelontsteking,' zei hij. 'Ik zal je heel kleine pilletjes geven en je moet goed onder de wol blijven, ik bedoel onder de watten.'

'Ziezo,' zei meneer Blom, 'het is een hele opluchting dat u het eindelijk weet, dokter. En wat gaat u nu doen?'

'Niets,' zei de dokter. 'Ik heb Lotje beloofd om NIETS te doen. Jullie mag zelf zeggen of ik jullie kan helpen.'

'Kijk,' zei meneer Blom, 'het enige wat wij willen, is weer gewoon groot worden. En u kunt ons niet groter maken, is het wel? Dat kan Wiplala alleen, als het hem maar te binnen wilde schieten, hoe!'

Wiplala keek benepen en zenuwachtig naar de dokter. 'Ik kan het misschien weleens een keer,' zei hij. 'Er is een goedje, wat ze moeten innemen, maar ik ben vergeten hoe het heet.'

'Zolang moeten ze hier blijven, dok,' riep Lotje.

'Dat is goed,' zei de dokter. 'Tot jij naar huis gaat, Lot. Maar op één voorwaarde. Ik wil het aan zuster Tine vertellen.'

Ze zwegen allemaal en keken weifelend.

'Ik vind het nodig,' zei de dokter. 'Ik zal haar binnenroepen.'

Maar hij hoefde haar niet te roepen. Ze hoorden voetstappen op de gang. Meneer Blom maakte al een beweging van vluchten, maar de dokter hield hem tegen. 'Wees niet bang,' zei hij. 'Ik maak het in orde.'

Toen de zuster binnenkwam, zei dokter Vink: 'Zuster Tine, kom hier.'

Zuster Tine was een oudere zuster. Ze was dik en streng en kalm.

De dokter nam haar kin tussen zijn vingers en keek haar doordringend aan. Ze had nog geen gelegenheid gehad op bed te kijken.

'Zuster,' zei dokter Vink. 'Ik wil dat je kennis maakt met vrienden van mij en Lotje. Het zijn ongewone vrienden. Beloof me dat je niet zult gillen.'

'Ik beloof het,' zei de zuster kalm.

'Kijk maar,' zei de dokter. En hij liet haar kin los.

Zuster Tine keek naar het bed. Ze gilde niet. Ze viel niet flauw. Ze zei heel rustig: 'Hallo!'

'Dag zuster,' zeiden ze.

'Ik wist het,' zei zuster Tine.

'Dat is niet waar!' riep Lotje. 'Dat kan niet.'

'Ik ben eens binnengekomen en toen zag ik kleine wezentjes weghollen en in je la kruipen. Ik dacht alleen: nou, als ik het niet zien mag, dan héb ik ook niks gezien. Ik houd niet van nieuwsgierigheid.'

'O, zuster Tine, je bent een schat!' zei Lotje. 'En nu mogen jullie zien, hoe Nella Della touwtjespringt over mijn vlecht.'

Ze nam haar lange donkere vlecht bij het uiteinde en draaide. En Nella Della sprong in en uit de bocht. Ze lachten allemaal.

104

'Zuster Tine, je hebt er een patiënt bij,' zei dokter Vink. 'Hier in deze doos. Breng hem een vingerhoed sinaasappelsap.'

Zuster Tine glimlachte en zei: 'Ik ben heel blij dat er nu geen geheimen meer zijn. We zullen het wat gezellig hebben met z'n allen!'

Hoofdstuk 12 *De dief*

'Kom kom,' zei dokter Vink. 'Het is toch geen afscheid voor eeuwig? Waarom dat verdriet?'

Op Lotjes bed stond meneer Blom met tranen in de ogen. Naast hem stonden Johannes, Nella Della en Wiplala, en huilden tranen met tuiten. En Lotje zelf lag ook te snikken, haar kussen was helemaal vochtig.

'Hoor eens,' zei dokter Vink. 'Er is helemaal geen reden om treurig te zijn, Lotje, je bent nu beter en je gaat morgen naar huis. Is dat heerlijk of niet soms?'

'Jaha,' snikte Lotje.

'Juist,' zei de dokter. 'En Johannes is ook beter, en jullie gaan nu met mij mee in de auto, in mijn mooie nieuwe aktentas, en ik breng jullie naar een heerlijk huis, buiten, waar een aardige oude dame woont, die jullie heel hartelijk zal ontvangen en waar je veilig zult zijn. Is dat fijn of niet?'

'Ja,' knikten meneer Blom en Nella Della en Johannes. Alleen Wiplala keek een beetje wantrouwig.

'Nou, dan gaan we maar,' zei dokter Vink.

Lotje nam haar kleine vriendjes nog eens een voor een op en kuste hen.

'Kom gauw bij ons,' zei Nella Della.

'Zorg goed voor je zelf, en eet veel,' zei meneer Blom.

'Dank voor alles,' zei Johannes en hij streek met zijn kleine handje langs Lotjes neus.

'Tot ziens,' zei Wiplala.

En daarna kropen ze in de tas van de dokter. Ze konden alle vier gemakkelijk in het buitenvak, dat door een rits moest worden gesloten.

'Maar ik laat die rits open,' zei de dokter, 'anders stikken jullie. Pas op, kom maar niet met je hoofd buiten de rand van de tas, de mensen mochten jullie eens zien!'

Ze wuifden nog eens naar Lotje, toen de dokter de deur uitstapte en doken toen vlug in het zijvak van de tas.

Dokter Vink liep de gang door, groette de portier, ging buiten in zijn auto zitten en zette de tas naast zich neer op de bank.

'Ziezo,' zei hij, 'jullie kunt nu even naar buiten kijken; het is zo lang geleden dat je de buitenwereld hebt gezien.'

Ze staken hun hoofd uit de tas en keken. Het was heel wonderlijk om de stad weer eens te zien, met al die hoge huizen, al die auto's, al die mensen op straat –, maar het was wel een verschrikkelijk lawaai. Ze waren het niet meer gewend, de ziekenkamer was zo stil geweest.

'Tja, nu moet ik onderweg nog éventjes een patiënt bezoeken,' zei dokter Vink. 'Dat vinden jullie zeker wel goed. Ik parkeer hier even langs de gracht en ik ben binnen tien minuten terug. Blijf maar liever in de tas; er mocht eens iemand naar binnen kijken.'

Ze bleven zoet in de tas en praatten erover hoe het zijn zou in hun nieuwe tehuis.

'Ik ben heel erg benieuwd, hoe die oude dame is,' zei Nella Della.

'Ja,' zei meneer Blom, 'en ik vraag me af of we wel helemaal vrij zullen zijn, daar in huis, en overal mogen lopen waar we willen. Ze zal ons toch niet opsluiten, denk je wel?'

'Dan ontsnappen we!' riep Johannes.

Terwijl ze zo zachtjes praatten, kwam op de gracht Rikus Rel aangeslenterd. Rikus Rel was niet zo'n erg aardige man. Hij was zelfs bijzonder onaardig en als hij kans zag, stal hij. Hij was niet bepaald een beroepsinbreker, maar in een warenhuis griste hij weleens handig iets weg van de uitstaltafels, in een café nam hij soms een damestasje mee, op het station had hij herhaaldelijk koffertjes gepikt, ja, overal waar hij op een veilige en gemakkelijke manier iets kon jatten, deed hij het prompt.

Nu had hij toevallig gezien hoe de dokter zijn wagen langs de gracht zette en haastig wegliep zonder het portier te sluiten.

Even langslopen kan nooit kwaad, dacht Rikus Rel en hij sloop langs het portier. Hij voelde aan de kruk, deed het portier open, graaide de tas weg van de voorbank, sloot het portier weer en liep kalm door. Heel kalm, vooral niet haastig, om geen argwaan te wekken.

De vier mensjes in de tas voelden dat ze werden opgepakt. Ze waren verwonderd dat de dokter nu al terug was, want ze twijfelden geen ogenblik of het was de dokter die de tas oppakte en ermee ging wandelen.

Alle vier tegelijk staken ze hun hoofdjes uit het zijvak en alle vier tegelijk riepen ze: 'Hee, bent u nou al terug!'

Rikus Rel stond pardoes stil. Hij had een tas meegepikt en de tas prááttte. Er kwamen stemmen uit. Kleine stemmetjes weliswaar, maar het wáren menselijke stemmetjes. Toen dacht hij heel even: 'O er zit zeker een radiootje in de tas.' Hij keek naar de tas, hij zag het zijvak en hij zag de vier kleine kopjes, die hem heel verbaasd aankeken.

Rikus Rel was een laffe man. Hij was ook erg schrikachtig en bijgelovig. Hij dacht dat de tas behekst was en een vreselijke angst bekroop hem. Zonder verder na te denken, hief hij de griezelige tovertas hoog in de lucht en slingerde hem zo ver mogelijk de gracht in. Enkele ogenblikken voelden ze daarbinnen hoe ze door de lucht zweefden. Toen kwam de tas in 't water, met een plons en al dadelijk zaten hun ogen en neuzen vol water. Het stroomde naar binnen.

Meneer Blom wist niet precies meer hoe hij uit de tas was gekomen; hij wist alleen dat hij nu zwom en dat hij naast zich Nella Della zag zwemmen.

'Waar is Johannes?' riep hij.

'Hier vader,' en het hoofd van Johannes verscheen ook aan de oppervlakte.

'En waar is Wiplala?' Ze keken al zwemmend om zich heen, maar ze zagen Wiplala nergens.

'Wiplala Wiplala!' schreeuwde Nella Della angstig. 'O Wiplala toch, waar ben je!' Geen antwoord!

'Hij zal verdrinken,' jammerde Johannes. 'Hij kan niet zwemmen!'

'Misschien nog in de tas,' zei meneer Blom en hij zwom zo snel hij kon naar de tas terug, die nog nét drijvend was gebleven.

Ze zagen een armpje van Wiplala uit het zijvak steken en ze trokken hem gezamenlijk de tas uit. Half bewusteloos liet Wiplala zich meeslepen door het water. Ze hielden zijn hoofd boven en zwommen met hem door de gracht tot hij zijn oogjes opende en zei: 'Misschien is er een eend in de buurt.'

'Er is een eend, Wiplala,' zei Johannes. 'We zullen erheen zwemmen.'

Ze kwamen maar heel langzaam vooruit, want ze waren zo klein, maar eindelijk waren ze vlak bij een grote woerd met glanzende, groenblauwe veren.

Wiplala begon dadelijk op een kwakende manier te praten. Hij kende de taal van de eenden, en de woerd luisterde ernstig en niet onvriendelijk.

'Hij zegt dat hij ons naar de kant wil brengen,' zei Wiplala. 'Klim maar op zijn rug.'

Het was gelukkig avond en bijna donker, dus de voorbijgangers op de gracht konden niet zien dat daar vier kleine, levende poppetjes op een grote eend klommen die daarna statig en kalmpjes met hen door het water peddelde.

'De eend zegt dat hij aan de Roergracht een trapje weet om aan wal te komen,' zei Wiplala.

'Laat hij ons daar dan maar brengen,' zei meneer Blom. 'We moeten toch op het droge zien te komen.'

De eend zwom onder verscheidene bruggen door, dook nu en dan met de snavel naar iets eetbaars, zei nu en dan een kwakend woord tot Wiplala en roeide eindelijk naar de kant. En daar, waar de eend aanlegde, was een steil, ijzeren laddertje van tien treden.

'Kwaak,' zei Wiplala tot de woerd.

'Kwaak,' zei de eend, wat wel zoveel zou betekenen als: tot je dienst.

Een voor een klommen ze van de eenderug op het trapje. Ze zeiden de woerd hartelijk vaarwel en klauterden naar boven. De eend schudde zijn veren en zwom bedaard weg.

Daar stonden ze, onder de bomen van een verlaten grachtje, in het donker. Het was nu laat in de avond. Ze waren koud en nat.

'Nu denkt dokter Vink misschien wel, dat we zelf zijn weggelopen uit de auto,' zei Nella Della mistroostig.

'Natuurlijk denkt hij dat niet,' zei meneer Blom. 'Hij begrijpt best dat wij die zware aktentas niet kunnen dragen, ook niet met ons vieren. Hij heeft vast dadelijk begrepen dat die tas gestolen is.'

'Wat zal hij geschrokken zijn,' zei Johannes.

'Hij durft het vast niet aan Lotje te vertellen,' zei Wiplala.

'En daarom moeten we zien dat we dokter Vink opbellen,' zei meneer Blom.

'Opbellen? Maar waar moeten we dat doen?'

'In een huis.'

'Moeten we een huis binnengaan en vragen of we mogen opbellen?'

'Nee. Maar we moeten stiekem een huis binnengaan. En als de mensen die daar wonen naar bed zijn, moeten wij telefoneren.'

'Dit huis dan,' zei Nella Della. 'Dit ziet er erg mooi uit. Hier hebben ze vast telefoon.'

In het souterrain van het huis was een tralieraam. Ze konden heel gemakkelijk tussen de tralies door naar binnen klimmen en ze stonden meteen in een grote, gezellige keuken. Er was niemand. Het was er heerlijk warm want er brandde een kolenfornuis, waarop een theeketel stond te ruisen. Achter het fornuis lag een grote stapel brandhout. Ze deden hun kleertjes uit en legden ze te drogen op het hout, terwijl ze zelf een beetje gymnastiek deden om door en door warm te worden.

'Ziezo,' zuchtte meneer Blom. 'Een nieuw tehuis. Wat zal ons hier te wachten staan?'

Hoofdstuk **13** *Het horloge*

In het oude grachtenhuis woonden twee dames. Twee oude dames: juffrouw Adèle en juffrouw Louise. Ze waren heel deftig, ze waren heel ordelijk en precies en ze waren erg ouderwets in hun opvattingen.

Nu zaten ze ieder aan een kant van de mahoniehouten tafel in de grote mooie zitkamer van het huis, en tegenover hen stond Klaasje.

Klaasje was het dienstmeisje. Ze was nog heel jong en ze kwam van het boerenland en eigenlijk was ze doodsbang voor de twee strenge, in 't zwart geklede dames.

'Klaasje,' zei juffrouw Adèle, 'Klaasje, vanmorgen lag mijn horloge op dat antieke notehouten kastje. Nu is het weg. Hoe komt dat?'

'Ik weet het niet, juffrouw,' stamelde Klaasje. 'Ik heb helemaal geen horloge gezien.'

'Er is niemand in de kamer geweest behalve wijzelf en JIJ,' zei juffrouw Adèle. 'Iemand moet dat horloge weggenomen hebben. Heb jij dat horloge weggenomen?'

'Nee juffrouw,' zei Klaasje en ze begon te huilen. 'Ik

heb heus geen horloge gezien. En ik neem nooit iets weg.'

Nu begon de andere dame, juffrouw Louise, ook te praten. 'Klaasje,' zei ze, 'je bent nu zes maanden bij ons en we vinden dat je je werk tamelijk goed doet. Het is wel erg jammer dat dit gebeurd is. Het blijkt nu dat je niet eerlijk bent.'

'Ik ben wel eerlijk,' schreide Klaasje. 'Ik heb nog nooit gestolen.'

'Wie heeft dán dat horloge weggenomen?' zei juffrouw Louise ijzig. 'Iemand moet dat toch gedaan hebben?'

'Gaat u de politie erbij halen?' snikte Klaasje.

'Nee, dat zullen we niet doen,' zei juffrouw Adèle. 'We zullen je ook niet ontslaan, tenminste niet direct, want het is erg moeilijk in deze tijd om aan huishoudelijke hulp te komen. We zullen het dus nog eens aanzien, Klaasje.'

'Maar ik vind het vreselijk dat u mij verdenkt,' zei Klaasje met trillende stem.

'Ja, wij vinden het ook heel naar en je begrijpt dat we je nu voortdurend in het oog zullen houden,' zei juffrouw Louise bits. 'En ga nu met ons mee naar boven. Je moet ons helpen de naaimachine op z'n plaats te zetten.'

De twee dames verlieten statig de kamer en Klaasje hobbelde achter hen aan, nog steeds snikkend, met een verfrommeld nat zakdoekje in haar vuist. De zitkamer was nu heel stil.

Leeg? Nee, niet helemaal. Onder de piano zaten vier hele kleine mensjes: de familie Blom en Wiplala. Ze hadden juist een erg moeilijke tocht achter de rug; vanuit het souterrain waren zij een halfuur geleden de trap opgeklommen. En dat was niet eenvoudig geweest voor zulke kleine wezentjes. Heel voorzichtig en zachtjes, zonder dat iemand het merkte, hadden ze de deur van de zitkamer bereikt, waren door een kier naar binnen geglipt en onder de piano gekropen, die vlak naast de deur stond.

Toen de dames met Klaasje de kamer hadden verlaten, kwamen ze te voorschijn.

'Hebben jullie dát gehoord?' zei Nella Della verontwaardigd. 'Ik vind dat helemaal geen lieve mensen. Heb je gehoord wat ze tegen dat meisje Klaasje zeiden? Ik geloof niet dat zij een horloge heeft gestolen, geloven jullie dat?'

'Nee,' zei meneer Blom. 'Ik geloof het ook niet. Je hebt gelijk. Nella Della, het zijn geen aardige dames en we moeten erg oppassen dat ze ons niet te pakken krijgen. Zien jullie overigens een telefoon?'

'Ja!' riepen Johannes en Wiplala. 'Daar staat er een, daar, op dat lage tafeltje.'

'Vlug dan,' zei meneer Blom. 'Misschien komen ze heel gauw weer binnen, voor die tijd moeten we even telefoneren.'

In een oogwenk klauterden ze alle vier op het lage tafeltje en daar stonden ze dan, naast het telefoontoestel. Maar het bleek niet zo erg gemakkelijk te zijn. Allereerst moesten ze het nummer opzoeken in het telefoonboek.

'De V van Vink moeten we hebben,' zei meneer Blom. 'Dokter Vink zal nu wel thuis zijn, het is avond. We zullen zijn huis opbellen en vragen of hij zo gauw mogelijk wil komen om ons hier weg te halen. Help me eens, ik kan dat dikke telefoonboek niet alleen openslaan.'

Met verzamelde krachten kregen ze het telefoonboek open op de V.

'Hier,' zei meneer Blom, 'hier heb ik Veenstra, Veerman, Velthuis – nog een paar bladzijden – vlug – we verliezen veel te veel tijd. Ha, hier is het: Dr. P.J. Vink. En nu de hoorn van de haak, met z'n vieren, hup, het is erg zwaar. Já!' De hoorn was van de haak.

'En nu moeten we met z'n vieren het nummer

draaien,' zei meneer Blom. 'We trekken samen telkens aan de nummerschijf. Daar gaat ie.' Tjonge, het was zwaar en moeizaam werk. Maar eindelijk hadden ze het laatste cijfer gedraaid en meneer Blom ging bij het mondstuk zitten, terwijl Nella Della aan de andere kant van de hoorn luisterde.

'Hallo!' schreeuwde meneer Blom, zo hard hij kon. 'Dokter Vink? Hallo dokter Vink!'

'Met Vink,' hoorden ze.

'Dokter Vink, u spreekt met de familie Blom. We zijn met tas en al gestolen! En nu zitten we op de Roergracht, in een huis, bij twee dames, ze heten...' Meneer Blom keek om zich heen en zei: 'Verdraaid, nu weten we niet eens hoe die dames heten!'

'Zoetekaas,' riep Johannes, 'ze heten de dames Zoetekaas, ik zie het hier staan op die agenda!'

'O, Zoetekaas. Bent u daar, dokter Vink? De dames Zoetekaas op de Roergracht, daar zijn we.'

De dokter aan de andere kant van de lijn was eerst een poosje sprakeloos. Toen begreep hij het plotseling en riep: 'Wat zegt u? Zoetekaas op de Roergracht? Ik kom jullie halen! Maar waar kan ik jullie vinden? Ik kan toch niet zo maar daar in de huiskamer doordringen? Hoe kan ik jullie...'

Op dat moment riep Wiplala: 'Weg, weg, er komt iemand!'

Ze lieten de hoorn van het toestel op het tafeltje liggen en lieten zich pijlsnel naar beneden glijden langs het tafelkleedje. En juist op tijd konden ze een veilig heenkomen zoeken onder het antieke notehouten kastje.

Juffrouw Adèle kwam de kamer binnen, haalde iets

uit haar zijden tasje dat op een stoel stond en wilde juist weer weggaan, toen haar oog op de telefoon viel.

'Hee, de hoorn ligt van de haak,' mompelde ze. 'Hoe kan dat nu? Hij lag er zoëven nog op.' Ze ging naar het telefoonkastje en legde de hoorn weer op z'n plaats. Toen ging ze de kamer uit.

'Ze is weer weg,' fluisterde meneer Blom. 'Zullen we nog eens opbellen? Maar nee, ik geloof niet dat het nodig is. Dokter Vink heeft het begrepen, hij zal nu wel hier komen, vanavond nog. We moeten nu maar stil onder dit kastje blijven zitten.'

'Ik hoop maar dat dokter Vink heel gauw komt,' zuchtte Nella Della. 'Ik voel me hier in huis niet op mijn gemak. Wat ben jij daar aan het doen, Wiplala?'

Ze keken naar Wiplala die onder het kastje, vlak bij de muur, op zijn buikje lag en ergens aan trok met al zijn kracht. Ze gingen bij hem staan en zagen dat hij aan een glinsterende band trok die bij een spleet te voorschijn kwam.

'Goud,' zei Nella Della. 'O, ik zie het al, het is een horlogebandje. Dat horloge ligt in die spleet, tussen de muur en het vloerkleed.' Ze hielpen Wiplala en even later hielden ze het horloge in hun armen.

'Zo zie je,' zei meneer Blom. 'Het heeft soms ook wel voordelen, om zo klein te zijn. Weet je wat we zullen doen? We stoppen het in de tas van juffrouw Adèle. Daar op die stoel.'

Ze sleepten het horloge naar de stoel en klommen naar boven. Ze stopten het in de tas en lieten zich snel weer zakken om weer naar hun schuilplaats onder het notehouten kastje te vluchten. Toen ze er net zaten, kwamen de dames met Klaasje weer binnen.

'Wil je een beetje eau de cologne, Louise?' vroeg juffrouw Adèle.

'Graag Adèle,' zei juffrouw Louise.

Juffrouw Adèle nam haar tasje en zocht naar haar flesje eau de cologne. Haar ogen werden ineens rond van verbazing en haar mond viel open.

'Wat is er?' riep juffrouw Louise.

Juffrouw Adèle haalde het gouden horloge uit de tas en liet het zien.

'In mijn tas,' stamelde ze. 'Hoe kan dat?'

'O, wat heerlijk!' riep Klaasje. 'U hebt het gevonden! Nu ziet u zelf dat ik het niet had weggenomen!'

'Nou, ik moet zeggen Adèle, dat ik het bijzonder zorgeloos en nonchalant van je vind,' zei juffrouw Louise. 'Het horloge zat natuurlijk aldoor in je tas!'

Juffrouw Adèle keek beschaamd voor zich.

En onder het antieke notehouten kastje zaten meneer Blom en Nella Della stiekempjes te lachen met Wiplala en Johannes.

Hoofdstuk **14** *Dokter Vink komt*

'Hoe lang zitten we nu al hier, onder dit kastje?' vroeg Johannes en hij geeuwde.

'Niet zo hard praten,' fluisterde meneer Blom. 'Wanneer de twee dames het horen, komen ze zoeken naar ons.'

'Zou dokter Vink nog vanavond komen?' vroeg Nella Della zachtjes. 'En als de mensen naar bed zijn, zou hij dan inbreken?'

Ze strekte haar hals en keek van onder het kastje de kamer in. Daar zaten juffrouw Louise en juffrouw Adèle, ieder met een boek, ieder met een bril, bij de grote ronde tafel.

'Ik geloof dat de bel gaat,' fluisterde meneer Blom. 'Luister 's!'

Ze luisterden. Ze hoorden dat Klaasje door de gang liep om de voordeur open te doen. Even later werd er aan de kamerdeur getikt en het hoofd van Klaasje kwam om de hoek: 'Er is een heer,' zei ze. 'Er is een heer om u te spreken.'

'Een heer?' vroeg juffrouw Adèle. 'Wat voor een heer, Klaasje. Heb je niet naar zijn naam gevraagd?'

'Het is een dokter,' zei Klaasje. 'Dokter Vink, en hij wou u een ogenblik spreken, zei hij.'

'Wel, laat dokter Vink dan maar binnen,' zei juffrouw Louise.

Klaasje trok zich terug en dokter Vink stapte binnen.

Onder het notehouten kastje hielden ze hun adem in. Daar was die lieve, goeie dokter Vink. Hij kwam om hen te halen. Hij had gedaan wat hij had beloofd, hij liet hen niet in de steek. Ze hadden wel naar hem toe willen hollen en roepen: lieve dokter, hier zijn we, pak ons gauw op en neem ons mee! Maar ze begrepen dat het erg onverstandig zou zijn en dat ze beter even konden wachten. Wat zou dokter Vink nu doen?

'Gaat u zitten, dokter,' zei juffrouw Louise heel plechtig en afgemeten.

'Dank u,' zei dokter Vink en hij ging op een van de pluchen stoelen zitten.

Hij legde zijn tas naast de stoel. Ademloos keken de kleine persoontjes onder het kastje toe, en ze zagen dat het een gloednieuwe aktentas was. Wéér met een zijvak en het zijvak stond open. Wijd open. De tas stond een paar meter van het kastje af. Als ze nu te voorschijn kwamen en er naar toe renden, dan konden ze er makkelijk in springen en wegduiken. Maar hoe konden ze die twee meter dwars door de kamer lopen, zonder gezien te worden? De twee dames zouden hen ongetwijfeld opmerken. Nee, ze moesten liever nog maar even wachten. Maar er was geen twijfel aan of dokter Vink had opzettelijk die tas daar zo uitnodigend neergezet.

'Wilt u misschien een kopje thee, dokter?' vroeg juffrouw Adèle.

'Nee, dank u – het is heel vriendelijk van u, dank u –,' zei dokter Vink.

'Mogen wij dan misschien de aanleiding van uw bezoek vernemen?' vroeg juffrouw Louise vriendelijk maar koel.

'Ja, eh...' begon dokter Vink. Hij was zichtbaar verlegen en hij bloosde en hakkelde een beetje. 'Ziet u, ik kwam hier langs het huis en ik was zo vrijmoedig om even naar binnen te kijken, omdat ik oude grachtenhuizen altijd zo interessant vind.'

'Ja, en?' vroeg juffrouw Louise.

'Toen zag ik uw prachtige antieke kaarsenkroon,' ging de dokter voort. 'Ik herinner me niet ooit zo'n zeldzaam mooie kaarsenkroon gezien te hebben. U zult het misschien erg vrijmoedig van mij vinden maar ik heb hier aangebeld met de bedoeling u te vragen die kaarsenkroon eens van dichtbij te mogen zien.'

Juffrouw Louise en juffrouw Adèle begonnen allebei te stralen. Ze waren erg gehecht aan hun mooie oude meubelen en ze vonden het heerlijk dat er een vreemdeling kwam, en nog wel een dokter, die belang stelde in hun kaarsenkroon.

'Maar natuurlijk!' zeiden ze, beiden tegelijk. 'Natuurlijk, dokter, kijkt u gerust.'

Dokter Vink leunde achterover in zijn stoel en keek naar boven, naar de koperen kaarsenkroon. De dames glimlachten trots en keken ook.

Meneer Blom, onder het kastje, begreep onmiddellijk dat dokter Vink dit kaarsenkroonverhaal opzettelijk had verzonnen om iedereen naar boven te laten kijken. Hij trok Nella Della aan haar arm, hij riep nog: 'Johannes, Wiplala, kom,' en toen stormden ze de kamer in. Ze renden naar de tas, doken in het zijvak en daar zaten ze, hijgend en blazend.

Dokter Vink wendde zijn blik van de kaarsenkroon af en bukte zich om zijn tas op te nemen. Hij deed het zijvak zorgvuldig dicht met de rits en zei: 'Ik denk niet, dat u die kaarsenkroon aan mij zou willen verkopen, is het wel, dames?'

'Nooit, inderdaad nooit,' zei juffrouw Louise. 'Die kaarsenkroon was nog van onze grootvader.'

Dokter Vink zuchtte. 'Dan zal ik niet langer misbruik maken van uw gastvrijheid,' zei hij.

'Wilt u echt niet even een kopje thee, of een glaasje advocaat?'

'Nee dank u, het spijt me, maar ik moet gaan. Ik vind het buitengewoon vriendelijk van u, dat u mij even hebt toegestaan dat prachtige stuk van dichtbij te bekijken.'

Hij boog en nam de tas steviger onder zijn arm.

'Klaasje, laat de dokter even uit, wil je!'

Klaasje liet dokter Vink uit. De zware voordeur sloeg achter hem dicht en hij stond op de stoep. Toen hij de treetjes van de stoep af was, stond hij stil op de donkere gracht, deed het zijvak van de tas open en zei: 'Nou, ging dat niet geweldig? Heb ik dat niet mooi verzonnen van die kaarsenkroon? En nu gaan jullie met me mee en ik breng je naar jullie nieuwe tehuis. En nú zal ik zorgen dat de tas niet meer wordt gestolen.' Zo praatte dokter Vink in zijn blijdschap. Hij praatte zo lang en zo druk, dat het moeilijk was er een woord tussen te krijgen, maar

eindelijk zwaaide meneer Blom met zijn kleine armpjes en riep: 'Stop! Dokter! Er is iets vreselijks!'

'He?' zei dokter Vink. 'Wat dan?'

'Wiplala is er niet bij,' zei meneer Blom. 'Wiplala is niet meegekomen.'

'Waar is hij dan?' vroeg dokter Vink en hij ging erbij zitten, op een van de marmeren treetjes van de stoep.

'Dat weten we niet,' zei Nella Della. 'Toen wij zagen dat we in de tas konden springen, hebben we het direct gedaan. En we dachten aldoor dat Wiplala ook mee was gegaan, want hij zat samen met ons onder het kastje en we hebben nog geroepen: "Kom, Wiplala, de tas in!"'

'O jee, o jee,' zei dokter Vink. 'Nou, niets aan te doen. Dan gaan jullie alleen met mij mee.'

'Alleen? En moeten wij Wiplala dan in dat nare grachtenhuis laten?' vroeg Johannes verontwaardigd. 'Dat kan niet! Dan wordt hij vroeg of laat gevangen door die deftige dames.'

'O nee, we laten Wiplala niet in de steek,' zei Nella Della. 'We moeten hem erbij hebben, anders gaan we niet met u mee.'

Ook meneer Blom schudde zijn hoofd en zei treurig: 'Nee, dokter Vink, wij laten onze Wiplala niet alleen achter.'

'Maar,' zei de dokter wanhopig, 'hoe moet het dan? Ik kan toch niet nóg eens aanbellen en vragen of ik nóg eens naar die kaarsenkroon mag kijken? In de hoop dat Wiplala dan toch nog in mijn tas zal springen. Dat kan ik niet doen, dat durf ik niet te doen.'

'Nee,' zei meneer Blom, 'dat kan niet. Er zit niets anders op dan dat wij weer teruggaan in het huis. We kennen nu de weg. Zet u ons maar even door het raam van de keuken in het souterrain.'

Dokter Vink was heel terneergeslagen. 'Wat verschrikkelijk is dat nou toch,' zei hij. 'Nu was ik juist zo blij dat ik jullie op die handige manier had meegekregen en nu is het allemaal voor niets geweest.'

Nella Della legde haar hoofdje tegen zijn hand. 'Wees niet boos op ons, lieve dokter,' zei ze. 'U zou toch ook uw vriend niet in de steek laten?'

'Natuurlijk niet,' zei dokter Vink. 'Nu dan, ik zet jullie tussen de tralies van dit raam door, in de keuken, is dat goed? De keuken is donker.'

Hij zette ze een voor een door het raam op de keukenvensterbank.

'Zal ik hier blijven wachten?' vroeg hij fluisterend.

'Nee dokter,' zei meneer Blom. 'Dat duurt te lang. Maar komt u morgenochtend nog eens naar ons zoeken. Wilt u dat doen?'

'Goed, morgen vroeg dan,' zei de dokter. 'Heel vroeg voordat mijn spreekuur begint. Ik zal morgen dan wel weer een nieuwe uitvlucht verzinnen om binnengelaten te worden. Dag mijn lieve kindertjes.'

'Dag lieve dokter, duizend maal dank!' zeiden de Blommetjes, met tranen in hun stem. En ze zochten hun weg door de donkere keuken, in de richting van de trap. Ze gingen Wiplala zoeken.

Hoofdstuk **15** *Spoken*

Het was in het holst van de nacht, een uur of drie, en in de zitkamer brandde het licht. Twee dames stonden midden in de kamer, de armen om elkaar heen geslagen. Ze rilden en keken elkaar radeloos aan.

En Klaasje, ook in haar nachtjapon, stond vlak bij hen, met verschrikte ogen.

'Wat zág je dan precies, Louise?' vroeg juffrouw Adèle.

'Ik zag – ik zag een heel klein mannetje, die met zijn voeten op de schrijfmachine hupte!' riep juffrouw Louise. 'Dát heb ik gezien.'

'Maar, maar dat is toch onzin,' stamelde haar zuster. 'Hoe kan dat nou? Er zijn toch geen kleine mannetjes, ik bedoel geen kabouters! Je hebt gedroomd.'

'Maar jij hoorde toch ook de schrijfmachine gaan? Midden in de nacht! Jij hebt toch ook gehoord dat er piano werd gespeeld? In een lege kamer? We hebben het toch samen gehoord?'

'Ja,' zei juffrouw Adèle, 'ik heb het ook gehoord. Ze

speelden: In een Blauwgeruite Kiel. Klaasje, heb jij het ook gehoord?'

'Ja,' zei Klaasje, 'ik hoorde de schrijfmachine tikken en ik vond het zo vreemd. Ik dacht dat er inbrekers waren. Toen ben ik gaan kijken, heel zachtjes in de kamer en ik hoorde pianospelen en ik hoorde de schrijfmachine tikken, maar ik zag niets, de kamer was leeg.'

'En wij zijn toen gekomen en hebben het licht aangedraaid,' zei juffrouw Adèle. 'En direct toen ik het licht aandraaide, zag ik dat kleine mannetje, zó klein!' Ze wees met vinger en duim. 'Zó klein was hij!'

'Spoken!' zei juffrouw Louise. 'Spoken in ons huis. We moeten iets doen! De brandweer opbellen, of de politie!'

'Maar wat kan de brandweer of de politie daar nu aan doen, Louise? Die kunnen toch niets tegen spoken doen?'

'Wie moet je dan hebben voor spoken?' vroeg juffrouw Louise zenuwachtig. 'Wie moet je opbellen als je last van spoken hebt? Is er ergens een Centrale Spokendienst of zoiets?'

'Laten we eens gaan kijken naar de schrijfmachine,' zei juffrouw Adèle. 'Misschien staat er iets op dat papier getikt.'

Ze liepen alle drie naar de schrijfmachine die op het bureautje stond. Er was een vel papier in gedraaid. Door wie? Wanneer? En hoe? Niemand gebruikte de schrijfmachine ooit. Er had geen papier in gezeten. Nu zat er een vel papier om de rol en daarop stond getikt: *Wiplalawaarbenje*.

'Laten we de hele kamer doorzoeken,' zei juffrouw

Louise. 'Laten we het hele huis doorzoeken! Hier, ik begin met de prullenmand!'

'Maar lieve Louise,' zei juffrouw Adèle, 'spoken gaan niet in de prullenmand zitten! En als ze erin zitten, dan zie je ze toch nog niet? Want spoken zijn onzichtbaar en ijl.'

'Maar dat mannetje dan,' zei juffrouw Louise. 'Die heb ik gezien met mijn eigen ogen. Die kan toch nu in de prullenmand zitten?'

Ze keerde de prullenmand om, maar er vielen enkel een paar propjes papier uit.

'Misschien waren het muizen,' zei Klaasje nederig.

'Muizen?' zei juffrouw Adèle. 'Heb jij weleens een muis piano horen spelen, Klaasje? En heb jij weleens een muis gezien die brieven tikte op de schrijfmachine?'

'Nee juffrouw,' zei Klaasje onderdanig.

'Nou dan, zeg dan niet zulke domme dingen.'

De twee dames liepen de kamer door en lichtten kussens van de divan, keken onder kasten en stoelen, trokken de laatjes van het bureau open en zochten overal, maar gaven eindelijk hun speurtocht op.

Juffrouw Louise ging op een stoel zitten en begon te schreien. 'Spoken en griezelige wezens in huis,' snikte ze. 'Wie had dat nou kunnen denken. Trollen en heksen en boze elfen in huis! In een fatsoenlijk huis op een keurige gracht!'

'Ik krijg ineens een idee, Louise,' zei juffrouw Adèle plotseling. 'Wat zou je ervan denken als we die keurige dokter Vink eens opbelden?'

'Dokter Vink?'

'Ja, die dokter die vanavond hier was om naar de

kaarsenkroon te kijken.'

'Maar waarom? We zijn toch niet ziek? En wat kan hij eraan doen, dat wij spoken hebben?'

'Wel ik dacht zo, dokters weten meestal overál iets op. En in elk geval – ik vind het een veilig gevoel om een man in huis te hebben.'

'Maar wou je hem dan nú opbellen? Midden in de nacht? Om drie uur?'

'Ja, natuurlijk! Hij is immers dokter? Dokters zijn eraan gewend om wakker gebeld te worden.'

'Goed dan,' zei juffrouw Louise. 'Bel hem dan maar op.'

Juffrouw Adèle ging naar de telefoon. 'Kijk nou toch 's,' zei ze. 'Het telefoonboek ligt heel toevallig opengeslagen bij de naam van dokter Vink. Dat is een soort vingerwijzing. Wij zullen vragen of hij meteen komt.' Ze draaide het nummer en wachtte. 'O hallo, bent u daar, dokter Vink? U spreekt met de dames Zoetekaas op de Roergracht. Ja, u bent vanavond bij ons geweest en nu hebben wij erge moeilijkheden en wij wilden vragen of u DIRECT wilt komen. Nee, wij zijn niet ziek; wij hebben Andere Moeilijkheden, dokter! O dank u, dank u. Tot straks dan.'

'Hij komt,' zei ze met een zucht. 'Het is een bijzonder aardige man, hij komt over een uurtje.'

'Goed,' zei juffrouw Louise. 'Dan blijven we nu maar heel dicht bij elkaar zitten in de huiskamer. Klaasje, neem een stoel en kom bij ons zitten. En kijk goed om je heen, of je niets ziet.'

Op datzelfde moment hingen meneer Blom, Johannes en Nella Della in een afhangende klimplant, halverwege de theetafel en de boekenkast. Ze hadden wanhopig naar Wiplala gezocht en hem niet gevonden. Eindelijk zaten ze met z'n drieën in een lege suikerpot, op de onderste plank van de theetafel. Maar toen de dames gingen zoeken door de hele kamer, durfden ze daar niet te blijven en ze waren in de klimplant geklauterd, die van de hoge boekenkast naar beneden afhing.

'Kom maar, klim maar verder,' zei Johannes heel zachtjes. Hij zat het hoogst en ging voetje voor voetje hoger, met zijn beentjes om de stengel, verborgen tussen de blaadjes.

Nella Della en meneer Blom volgden hem. Ze moesten erg oppassen dat de plantestengel niet heen en weer zwaaide en het griezelige was nu dat de dames zo goed opletten en telkens hun ogen over de hele kamer lieten dwalen.

Maar ze konden niet langer meer in die wiebelplant blijven hangen, en terug naar de suikerpot durfden ze niet meer. Ze moesten nu wel hogerop. Het ging heel langzaam, het ging heel omzichtig en heel geluidloos. Gelukkig hing de plant in een donker hoekje.

Het leek wel, of ze al uren en uren hadden geklommen, of die plantestengel kilometers lang was, of ze nooit de top van de boekenkast zouden bereiken. Maar eindelijk fluisterde Johannes: 'Ik ben er!'

Hij zette zijn voetje boven op de boekenkast en bukte zich om de anderen op de rand te helpen. Ze hesen zich op en klommen toen in de bloemenbak, die boven op de kast stond. Het was een hele grote bloemenbak met allerlei kamerplanten: begonia's, geraniums, cactussen, hele weelderige varenplanten – het was alsof ze in een bos terechtgekomen waren en ze voelden zich hier veilig en geborgen tussen al dat groen.

Uitgeput en hijgend gingen ze zitten, met z'n drieën naast elkaar.

'Ik dacht heus dat ze ons zouden vinden in die suikerpot,' zei Nella Della.

'Ik ook,' zei meneer Blom, 'ze waren zo grondig aan het snuffelen. Maar heb je gehoord dat ze de dokter hebben opgebeld?'

'Ja,' zei Johannes, 'maar wat hebben we daaraan? Straks komt de dokter hier en we kunnen niet met hem meegaan, want we hebben Wiplala nog niet gevonden.'

'Nee,' zuchtte Nella Della, 'en ik ben bang dat hij helemaal niet meer in de kamer is. Ik ben bang dat hij niet meer in huis is hier, dat hij door een muizegaatje verdwenen is en terug is gegaan naar zijn eigen land. Het land van de Wiplala's. Ik denk dat hij er genoeg van had en dat we hem nooit meer zullen zien.'

'Als dat zo is, dan moeten wij ons hele leven zo klein blijven,' zei meneer Blom. 'En we kunnen nooit meer in ons eigen huis. Och Wiplala, Wiplala, waar ben je toch gebleven?'

'Hier,' zei een klein zacht stemmetje.

't Was of ze door een speld werden geprikt. Ze sprongen op en tuurden tussen de varens en bladeren.

'Hier ben ik,' zei het stemmetje, uit de kelk van een paarse bloem.

Ze keken en daar zat Wiplala, verscholen in een bloem, met een verlegen lachje op zijn kleine gezichtje.

'Hallo,' zei hij. 'Ik zit hier al zo lang. Ik durfde niet meer naar beneden.'

'Wiplala!' riep Johannes, veel te hard.

'Ssst, pas toch op,' fluisterde Nella Della. 'Ze kunnen je beneden in de kamer horen.'

Ze keken allemaal tussen de planten door naar de kamer. De twee dames zaten nog steeds bij de tafel, met Klaasje. Ze deden niets en letten op, maar blijkbaar hadden ze niets gehoord.

Toen begon meneer Blom streng te praten tot Wiplala. 'Luister eens, jonge vriend,' zei hij. 'Je hebt ons in ernstige ongelegenheid gebracht, weet je dat wel? We hadden hier al lang weg kunnen zijn; de dokter kwam ons halen. We zijn allemaal in zijn tas gekropen en toen merkten we dat jij er niet bij was. Waar was je toen?'

'Ik was net als jullie onder het notehouten kastje,' zei Wiplala.

'Goed, maar toen we allemaal door de kamer renden om in de tas te kruipen, waarom ben je toen niet met ons meegegaan? Vertel op!'

'Ik zag iets,' zei Wiplala.

'Zag je iets? Wat zag je dan? Iets waarvoor je bang was? Durfde je niet?'

'Ik zag ineens iets in de kamer, iets wat ik wou hebben,' stamelde Wiplala, 'iets wat ik heel beslist wou hebben. En toen ben ik onder het kastje blijven zitten tot ze naar bed waren en daarna – ben ik hierop geklommen.'

'Luister,' zei meneer Blom. 'Straks komt de dokter wéér. Hij zal natuurlijk weer zijn tas openzetten en wij moeten daar dan in kruipen. Dan zul je ons toch niet in de steek laten? Dan zul je toch met ons meegaan?'

'Ja,' zei Wiplala. 'Dan ga ik met jullie mee.'

'Beloof je dat?'

'Ik beloof het.'

'O,' zeiden Johannes en Nella Della. 'Als de dokter nu maar gauw komt.'

Hoofdstuk **16** *Besjes*

'Gaat u zitten, dokter,' zei juffrouw Louise. 'Klaasje, schenk eens gauw een kopje koffie. We zijn erg blij dat u er bent. We hebben een vreselijke nacht gehad!'

'Een verschrikkelijke nacht,' zei juffrouw Adèle. 'We hebben geen oog dicht gedaan. Klaasje, geef de dokter een boterham met koek. U hebt natuurlijk nog niet ontbeten dokter? Het is pas vier uur.' 'Ja,' zei dokter Vink, 'het is een vreemd uur om op visite te gaan. Vier uur 's nachts. Maar hier ben ik dan. Vertelt u mij eens precies wat er aan de hand is.'

Hij ging zitten op de groene pluchen stoel, strekte zijn benen uit en zette zijn tas naast zich neer, het zijvak wijd open. Intussen liet hij zijn ogen dwalen door de kamer en dacht: Waar zouden ze zitten? Zitten ze weer dáár onder dat antieke kastje? Of zouden ze zich ergens anders verstopt hebben. Ik zal straks maar weer gaan praten over de kaarsenkroon of iets anders wat hoog staat. Als iedereen naar boven kijkt, hebben die kleintjes mooi de gelegenheid om in de tas te duiken.

'Dank u wel,' zei hij, toen de koffie en de boterham voor hem stonden. 'Vertelt u nu maar, wat is er aan de hand?'

'O, dokter,' zei juffrouw Louise bevend, 'u zult misschien zeggen dat wij niet goed in ons hoofd zijn, maar – er zijn spoken hier in huis!'

'Hebt u ze gezien?' vroeg de dokter ernstig.

'Ja – of nee,' zei juffrouw Adèle. 'We zullen het u precies vertellen. Midden in de nacht, om een uur of drie – we waren toevallig allebei wakker want we slapen niet zo best – midden in de nacht hoorden we leven in de huiskamer.'

'Muizen misschien?' vroeg de dokter.

'Was het maar waar, dokter, waren het maar muizen geweest. Maar nee, we hoorden de schrijfmachine gaan.'

'De schrijfmachine? Hier in de kamer?'

'Ja, en de piano ook. We hoorden duidelijk iemand pianospelen! Het was zelfs een wijsje: In een Blauwgeruite Kiel! Eerst waren wij als vastgenageld aan ons bed, van schrik, begrijpt u wel?'

'Natuurlijk,' zei de dokter.

'En toen dachten we: we móéten weten wat dat is. We zijn naar binnen gegaan en Klaasje kwam ook uit haar bed, die had het ook gehoord, nietwaar Klaasje?'

'Ja, juffrouw,' zei Klaasje.

'Nou, en toen hebben we het licht aangedraaid en gekeken!'

'Dat was heel dapper van u,' zei de dokter. 'Het hadden wel inbrekers kunnen zijn.'

'Ja,' zei juffrouw Adèle, 'het hadden inbrekers kunnen

138

zijn. Maar het waren geen inbrekers. Tenminste, geen gewone.'

'Nee, geen gewone,' zei juffrouw Louise geheimzinnig. 'Want ik zag boven op de schrijfmachine een heel klein mannetje. Zó groot.'

'Een mannetje? Een kaboutertje dus?' vroeg de dokter.

'Ja, en toen het licht aanging, rende hij weg. Ik heb hem maar één seconde gezien, héél eventjes, maar heel duidelijk.'

'En verder?' vroeg de dokter.

'Verder? Verder niets. Maar is dat niet genoeg? In de schrijfmachine zat een papier en daarop was getikt. Kijkt u zelf maar, dit: *Wiplalawaarbenje*. Ziet u het? Dat had dat mannetje getypt.'

'En daarna?' vroeg de dokter rustig.

'Daarna hebben we alles onderzocht, alles overhoop gehaald, overal gekeken, maar er was niets te vinden. Helemaal niets. We durfden niet meer naar bed, we hebben de hele verdere nacht hier op deze stoelen gezeten en gewacht of de spokerij opnieuw zou beginnen.'

'En begon de spokerij opnieuw?' vroeg dokter Vink.

'Nee,' zei juffrouw Adèle. 'Nee, er is niets meer gebeurd.'

'Vertelt u mij eens,' zei de dokter, 'wat hebt u gisteravond gegeten?'

'Gegeten, dokter? Wat hebben we gegeten Louise?'

'Gebakken lever met uitjes,' zei juffrouw Louise.

'O ja, gebakken lever met uitjes.'

'Aha,' zei de dokter.

'Hoezo, heeft dat er iets mee te maken?'

'Dat heeft er alles mee te maken,' zei de dokter. 'Het

is namelijk zo – dank voor de boterham, het was erg lekker – het is namelijk zo, dat gebakken lever met uitjes wel eens eh ... giebelitis kan veroorzaken.'

'Giebelitis?' vroeg juffrouw Louise verschrikt. 'Wat is dat, dokter, is het iets ernstigs? Kan men er heel ziek van zijn?'

'Dat niet,' zei dokter Vink. 'Het is niet zo ernstig, maar giebelitis maakt dat men allerlei dingen ziet en hoort in de nacht, allerlei dingen die er niet zijn, begrijpt u. Dat is giebelitis. Hm, ja.'

'O dokter,' zei juffrouw Adèle, 'denkt u heus dat wij daaraan lijden? Maar dat tikken van de schrijfmachine en dat pianospel – we hebben het alle drie gehoord!'

'Ja zeker,' zei dokter Vink, 'maar u had immers ook alle drie gebakken lever met uitjes gegeten?'

'Ja, dat is waar,' zei juffrouw Louise. 'Maar dat kleine mannetje, dat heb ik toch echt gezien, met mijn eigen ogen.'

'Juist,' zei de dokter. 'Een typisch symptoom van giebelitis. Alle mensen die aan giebelitis lijden, zien kleine mannetjes. Het komt erg veel voor, veel meer dan u denkt. O, ik heb hopen patiënten die 's nachts kleine mannetjes zien, of soms ook wel andere vreemde dingen, en dat komt dan steevast door gebakken lever met uitjes. Ik zou u dus aanraden om dat gerecht niet meer te eten, vooral niet 's avonds. En ik zal u alle drie een poeier geven. Dat zal u kalmeren, dat zal u lekker laten slapen en u zult zien dat de giebelitis overgaat en dat u nooit meer vreemde dingen zult zien of horen, in dit huis.'

Door de prettige, rustige manier waarop de dokter sprak, waren de dames al helemaal gekalmeerd. Ze geloofden nu bijna dat alles wat er gebeurd was, helemaal niet écht gebeurd was.

Maar ondertussen zaten daarboven op de boekenplank meneer Blom, Johannes, Nella Della en Wiplala, midden tussen het groen en de bloemetjes van de plantenbak.

'Kijk,' fluisterde meneer Blom, 'de tas van de dokter staat open. We zouden er zó in kunnen. Maar hoe komen we ongemerkt van de kast af? Hoe moeten we erbij komen?'

'Konden we de dokter maar een teken geven,' zei Nella Della. 'Laten we vast langs de klimplant naar beneden glijden,' zei Johannes. 'Dan zijn we tenminste op de vloer.'

'Ja, laten we dat maar doen,' fluisterde meneer Blom, maar op dat moment hield Wiplala zijn handje open voor hun neus en zei: 'Neem eerst een besje! Ze zijn lekker en ze geven kracht!'

Ze keken alle drie een beetje weifelig naar de rode besjes in het handje van Wiplala.

'Wat zijn dat voor besjes?' begon meneer Blom, maar hij pakte er eentje, want ze zagen er zo lekker uit en ze hadden in zo lange tijd niets gegeten. Ze stopten alle drie een besje in hun mond. Ze begonnen erop te kauwen, het smaakte zoet en geurig, en toen gebeurde er iets raars. Ze voelden zich draaierig en duizelig worden... ze grepen zich vast aan de varens en bloemstengels om zich heen, het was of de hele kamer in het rond begon te tollen, ze zagen alles in de kamer kleiner worden en kleiner, terwijl ze zelf groeiden en groeiden en héél groot werden, o lieve hemel, wat groot, en dat alles gebeurde in stilte – in griezelige stilte, het enige geluid was het heel licht knakken van de plantestengels en bloembladen.

Het was zo geluidloos gebeurd, dat ze beneden in de kamer niets hadden gemerkt.

'Neemt u deze poeier nu eens in,' zei dokter Vink op hartelijke toon. 'En als u deze poeier hebt ingenomen, dan zult u nooit meer iets vreemds zien in deze kamer, dat beloof ik u. Nooit meer.'

De twee dames namen ieder een poeier in bij de koffie en zeiden: 'Dank u wel, dokter. We zullen straks Klaasje ook een poeier geven, in de keuken.'

En nu, dacht dokter Vink, nu moet ik weer gaan praten over de kaarsenkroon of over iets anders wat hoog is in de kamer. Als we dan allemaal naar boven kijken, kunnen die kleine stakkerdjes in mijn tas kruipen. 'Wat hebt u een bijzonder mooie boekenkast,' begon hij en hij liet zijn oog langs de boekenkast naar omhoog glijden en – hij staarde, staarde.

Juffrouw Louise en juffrouw Adèle volgden zijn blik. Ze keken naar boven, naar de top van de boekenkast.

Daar, boven op de kast, zat een heer met een snor. En naast hem zaten twee kinderen, een jongen en een meisje. Ze zaten in de bloembak, te midden van gekneusde planten en bloemen.

De ogen van de twee dames werden groter. Hun mond viel open, ze lieten een zachte kreet horen en vielen allebei tegelijk flauw. De dokter stond op, stapte over hen heen en liep naar de boekenkast. Hij strekte zijn hand uit en zei: 'Springt u er maar af, meneer Blom. En jullie ook.'

Ze namen een voor een zijn hand en sprongen op de

142

begane grond, nog steeds sprakeloos van verwarring over deze vreemde gang van zaken.

'Is de kleine Wiplala er ook?' vroeg dokter Vink. 'Ja,' riep Wiplala. Zijn hoofdje stak uit de zak van meneer Bloms jasje.

'Goed,' zei de dokter. 'Gaat u dan zo gauw mogelijk naar buiten, naar huis, in elk geval hier weg! Dan zal ik het hier wel in orde maken met de dames. Gauw!'

Hij duwde hen de kamerdeur uit, ze liepen de gang door en stonden even later buiten, op de gracht.

Het verbaasde gezicht van Klaasje in het souterrain keek hen na.

Hoofdstuk 17 *De herdenking*

'Laten we even op de leuning van dat bruggetje gaan zitten,' zei meneer Blom. 'Ik moet even om me heen kijken.'

Ze gingen naast elkaar op het bruggetje zitten en keken om zich heen. 'Oh,' zuchtte meneer Blom, 'wat ben ik gelukkig. We zijn weer groot. We zijn weer mensen, en geen kabouters meer.'

'En nu kunnen we weer gewoon naar huis gaan,' riep Nella Della.

'En naar school!' riep Johannes. 'Ik wil best weer naar school.'

'En naar het zwembad en we kunnen weer gewoon spelen op straat, en we hoeven niet meer bang te zijn voor de mensen en nooit meer weg te kruipen!'

'Wiplala!' zei Nella Della en ze haalde het kleine ventje uit de zak van haar vaders jas. Ze hield hem dicht tegen zich aan, in haar beide handen en zei: 'Wiplala, hoe is het nou toch allemaal gegaan?'

'Ja, dat zou ik ook weleens eindelijk willen weten,' zei meneer Blom. 'Hoe is het toch gegaan, Wiplala?'

'Wel,' zei Wiplala, 'jullie weet toch nog wel dat we daar onder het notehouten kastje zaten? En de dokter had z'n tas open neergezet en jullie zijn alle drie in die tas gekropen – weet je nog wel?'

'Natuurlijk weten we dat nog en het was juist zo gek dat jij niet met ons meeging. Je zag iets, vertelde je later. Je had iets gezien, maar wat had je dan gezien?'

'Toen ik met jullie mee wou gaan,' vertelde Wiplala, 'en onder het kastje vandaan kroop, keek ik naar boven en ik zag op de boekenkast de bak met planten. Eén van die planten kende ik en ik wist meteen dat dát de plant was, die ik nodig had. Dát was de plant waar besjes aan groeien en die besjes moest ik hebben om jullie weer tot grote mensen om te tinkelen.'

'Maar waarom zei je dat dan niet, Wiplala?'

'Ik had geen tijd meer om iets te zeggen, het ging allemaal zo gauw. Jullie zaten meteen al in die tas en ik had de keus tussen twee dingen: meegaan met jullie in die tas. Maar dan gingen we het huis uit en we kwamen er misschien nooit meer in. Of achterblijven en die besjes gaan plukken. Wel, ik dacht er maar één seconde over na en toen koos ik het tweede. Ik bleef achter.'

'Dat was bijzonder verstandig van je,' zei meneer Blom, met bewondering in zijn stem.

'O, Wiplala,' zei Johannes, 'we vinden je zó knap, we vinden dat je heel erg goed kunt tinkelen!'

'Doe me nou maar weer in een zak,' zei Wiplala, 'anders zien de mensen me en dan krijgen we weer andere narigheden.'

'Kom, we gaan naar huis,' zei meneer Blom en hij liep voorop. De anderen kwamen na hem. Ze liepen door alle

bekende straten van de stad en ze waren zo gelukkig dat ze af en toe dansten en huppelden en grote passen namen en een heel eind sprongen. Het was reusachtig, reusachtig om weer gewoon door de straten te lopen. Het was heerlijk om weer groot te zijn.

'Hee,' zei meneer Blom. 'Kijk eens, wat staan er ontzettend veel mensen op het pleintje voor ons huis.'

'Wat zou er te doen zijn? Dat is toch niet voor ons bedoeld?' vroeg Nella Della angstig. 'Ze komen toch niet ons huis bestormen?'

'Laten we liever omdraaien,' zei Johannes ongelukkig. 'Ik ben een beetje bang geworden van mensen.'

'Ach,' zei meneer Blom, 'dat hoeft nu toch niet meer? Ze kunnen ons nu lekker niet meer oppakken en in hun zak steken. Nee, wacht eens, ze komen niet voor ons. Ze staan om het standbeeld heen.'

Midden op het plein stond nog steeds het standbeeld van Arthur Hollidee, de dichter. Nog altijd was het een standbeeld, nog altijd was de dichter van steen. En hij stond daar met zijn ene hand uitgestrekt, het lege stenen bord voor zich uit houdend.

Het pleintje was stampvol mensen; ze stonden er midden tussenin en het was een enorm gedrang.

'Wat is hier aan de hand?' fluisterde meneer Blom tot een man die naast hem stond.

'Vijftig jaar geleden is de dichter Arthur Hollidee geboren,' zei de man. 'De grote dichter Hollidee. En nu is er dus een HERDENKING.'

'Ach zo,' zei meneer Blom, 'een herdenking. Dat is aardig. En wie is de heer die daar een redevoering gaat houden?'

'Dat is de Minister,' fluisterde de man naast hem. 'Ssst hij begint.'

Nella Della en Johannes klommen op een stoepje om alles beter te kunnen zien en horen. Ze zagen de minister staan, vlak voor het standbeeld, ze zagen al die mensen en kinderen drommen op het pleintje en ze zagen ook Emilia Hollidee, de zuster van de dichter. Ze stond naast de minister en ze hield haar zakdoek voor haar ogen. Voor haar was het natuurlijk een treurige dag, al moest het dan wel heerlijk zijn om te weten dat haar broer zo beroemd was geworden, sinds hij van steen was.

'Dames en heren,' begon de minister. Hij had een zwart pak aan en hij zag er erg mooi en plechtig uit. 'Dames en heren, vijftig jaar geleden werd in deze stad een kind geboren, over wiens werk later de gehele wereld zou spreken! De grote dichter Arthur Hollidee is in deze stad geboren, heeft in deze stad geleefd en gewerkt. Gij kent hem allen, gij hebt zijn werken gelezen!'

Toen de minister zover was gekomen, voelde meneer Blom een hevig gewriemel in zijn zak. Hij boog zich wat op zij en siste tegen Wiplala: 'Wat is er, wat ga je doen?'

'Ik kan het nu!' siste Wiplala terug.

'Nee,' zei meneer Blom, 'asjeblieft, Wiplala, het is zo'n ongelegen moment wacht even tot...' Maar het hielp niet wat meneer Blom zei. Wiplala bewoog zijn handjes heel snel.

De minister ging verder met zijn rede. 'Arthur Hollidee leeft niet meer,' zei hij, 'maar hij leeft in onze harten tóch verder.'

Op dat moment begonnen de mensen onrustig te worden. Want het standbeeld bewoog. Het standbeeld hief zijn armen langzaam naar boven en rekte zich uit. Het standbeeld knipperde met de ogen en geeuwde.

'Hij leeft!' riepen de mensen. 'Hij leeft!'

'Juist,' zei de minister, een beetje van zijn stuk gebracht door de rumoerigheid en de opschudding. 'Dat zei ik zoëven: Hij leeft voort in onze harten en in onze herinnering.'

Het standbeeld was nu uitgegaapt en het keek om zich heen met verbaasde ogen. Het keek ook heel verwonderd naar het bord in zijn rechterhand en zette het toen voorzichtig op de grond.

Emilia Hollidee keek om, zag haar broer en riep: 'Arthur!' Nu draaide ook de minister zich om en zag het beeld, het levende beeld.

'Wat is dat?' riep hij verontwaardigd. 'U beweegt zich. U leeft!'

'Ja,' zei Arthur Hollidee schaapachtig. 'Mag dat niet?'

'Nee zeker,' zei de minister driftig, 'u hebt geen recht om u te bewegen, u bent van steen! U bent een standbeeld! Hoe kunnen we u herdenken als u daar gewoon staat te leven?'

'Dat weet ik niet,' zei Arthur Hollidee. 'Maar móét u mij dan herdenken?'

En toen begonnen alle mensen op het plein te juichen. 'Hoera! Hoera! Leve onze dichter Arthur Hollidee!' riepen ze. 'Leve onze beroemde dichter! Een levende dichter herdenken, dat is het ware! Hoera!'

'Wat wordt er dan herdacht?' vroeg Arthur Hollidee aan een dame die vlak bij hem stond.

'U bent vijftig jaar geleden geboren,' zei de dame.

'Vijftig jaar geleden geboren? O, dan ben ik dus ge-

woon jarig,' riep Arthur Hollidee. 'Dan word ik vandaag vijftig jaar! Ik ben jarig!'

'Wel gefeliciteerd!' riepen de mensen. 'Hartelijk gelukgewenst met uw verjaardag.' En al die bloemen die ze aan de voet van het standbeeld wilden leggen, gaven ze nu aan de levende dichter in handen. Daar stond hij, met zijn armen vol witte en roze anjers en tulpen en seringen. Hij keek er verbluft naar en scheen helemaal niet te begrijpen wat er eigenlijk met hem aan de hand was. Toen keek hij een beetje hulpeloos naar al die mensen en zei: 'Ik heb honger.'

'Arthur, mijn lieve broer,' riep Emilia, en ze stortte zich in zijn armen. 'Je bent twee maanden lang van steen geweest. En nu ben je weer warm en levend. En we zijn niet meer arm, Arthur. Je bent nu heel beroemd en je boeken worden verkocht in alle winkels. En dus hebben we geld om karbonaadjes te kopen. Kijk eens om je heen, kijk eens hoe de mensen zwaaien en glimlachen, hoor ze eens juichen!'

'Mag ik u hartelijk gelukwensen,' zei de minister stijfjes. Hij gaf Arthur een hand, maar hij keek bits, want hij vond het een onfatsoenlijke gang van zaken. Hij was niet gewend, redevoeringen te houden voor standbeelden die later ineens bleken te leven.

De mensen op het plein namen Arthur Hollidee op de schouders en droegen hem rond. Emilia liep ernaast en huilde van vreugde in een schone zakdoek. 'Hij is weer levend!' riep ze tot meneer Blom, en meneer Blom drukte haar de hand en zei: 'Ik heb het je wel voorspeld, Emilia, dat het allemaal in orde zou komen!'

'Ja, inderdaad,' zei ze. 'U hebt het voorspeld. Gaat u

mee met ons? Kijk, daar komt een heel muziekkorps, ze willen Arthur de hele stad doordragen!'

'Nee,' zei meneer Blom, 'ik denk dat wij liever eens bij u komen als het niet meer zo druk is. Kom,' zei hij tegen zijn kinderen, 'wij gaan naar ons eigen huis. We gaan kijken hoe het er daar uitziet.'

En ze drongen zich tussen de menigte door om hun eigen huis te bereiken.

'Misschien is het wel helemaal leeggehaald,' zei Nella Della. 'Door al die vrienden van meneer Dingemans, die toen naar binnen zijn gedrongen.'

Maar het viel erg mee. Alles stond er nog, en de meeste dingen stonden op hun plaats.

'Thuis – we zijn weer thuis,' zei Johannes. 'Wat heerlijk! Wat ontzettend heerlijk! O, en daar is de poes!' De poes Vlieg kwam hun snorrend tegemoet. Ze kronkelde zich om hun benen en mauwde. 'Lieve, lieve poes Vlieg! Wat is het fijn om weer thuis te zijn!'

Hoofdstuk **18** *Thuis*

Nella Della en Johannes liepen de kamer en de gang en het hele huis door en herkenden telkens weer andere dingen.

'Kijk, daar is mijn bootje,' zei Johannes. 'Ik zal het vanavond in het bad laten varen. En daar is mijn trein. Weet je nog wel, hoe we erin hebben rondgereden, toen we nog klein waren?'

'Ja, en hoe we uit zwemmen gingen in het bad,' lachte Nella Della. 'En hoe we eten kookten op het poppefornuis, ach, wat was dat leuk!'

'Wat zeg je daar?' riep meneer Blom, die het laatste juist gehoord had. 'Leuk? Leuk om zo piepklein te zijn? Ondankbaar gespuis! Weet je dan niet meer, hoe we in de angst en de narigheid gezeten hebben?'

'Ja, natuurlijk weet ik dat nog,' zei Nella Della. 'Ik wil ook niet meer terug, ik vond alleen sómmige dingen leuk.'

'Hoe vind JIJ het eigenlijk om zo klein te zijn?' vroeg ze aan Wiplala.

'Ik ben altijd zo klein geweest,' zei Wiplala. Hij was bezig in een van de speelgoedautootjes rond te rijden en hij keek heel verrukt want hij vond het speelgoed van Johannes prachtig.

De poes Vlieg was hen nagelopen, het hele huis door, en ging nu naar Wiplala. Het kleine ventje klauterde uit het autootje en klom op de zachte poezerug. En zo liet hij zich een eindje meerijden door de kamer.

Nella Della keek hem teder aan en zei: 'Ik ben zo blij dat je bij ons bent, Wiplala. Wat heb je ons goed geholpen in die tijd. Je moet ook eens een keer met mij naar school gaan. Dan zal ik je goed wegstoppen in mijn schooltas en ik zal je aan niemand laten zien. Maar dan kun jij mijn school zien.'

'O, kijk,' zei Johannes, 'de klok is kapot. De mooie oude hangklok in de gang. Het engeltje is eraf – och, het engeltje is eraf. O, hier is het.'

Nella Della kwam kijken en nam het engeltje van de grond. Het was van de klok afgebroken, waarschijnlijk doordat de indringers er te hard tegen hadden gestoten.

Nella Della hield het engeltje in haar hand; het was bloot en roze en het had gouden vleugeltjes. 'We moeten het er straks maar weer op lijmen,' zei ze. 'En nu ga ik een kopje koffie zetten. Ik heb even een paar moor-koppen gehaald bij de bakker, dus we gaan heel gezellig en genoeglijk samen koffiedrinken.'

Terwijl ze de koffie bijschonk, zei meneer Blom: 'Er zijn verscheidene dingen die ik moet doen. Allereerst moet ik dokter Vink opbellen om hem te bedanken. En dan moet ik nog altijd die vijfenveertig gulden betalen in dat restaurant.'

'Ga je dat heus nog betalen, vader?' vroeg Nella Della verwonderd.

'Ja, wat dacht je? Ik heb een hekel aan schulden. En dan wil ik ook nog eens naar die kruidenierswinkel waar we de koek hebben opgegeten en van allerlei lekkere din-gen hebben gesnoept. Daar wil ik ook de schade beta-len.'

'En we moeten Lotje opbellen!' riep Johannes.

'Ik zal maar eens gaan telefoneren,' zei meneer Blom. Hij nam de telefoon van de haak en belde dokter Vink op. Terwijl hij praatte, hoorde hij gefladder en geklap-wiek van vleugels boven zijn hoofd, maar hij had het te druk met telefoneren om er veel acht op te slaan.

'Het lijkt wel of er een vogel in de kamer is, ik hoor

156

vleugeltjes kleppen,' zei Johannes. Hij keek rond en riep: 'Nella Della! Kijk!' Nella Della keek en stond stokstijf van verbazing.

Daar vloog het kleine, roze engeltje met de gouden wiekjes door de kamer. Het gleed zo sierlijk op die vleugeltjes door de lucht; het maakte allerlei onverhoedse beweginkjes, het vloog vlak boven het hoofd van meneer Blom en trok in het voorbijvliegen even heel hard aan zijn haar.

'Wat is dat!' riep meneer Blom, die juist het telefoongesprek had beëindigd. 'Wat is dat!' Hij keek naar boven en zijn mond viel open.

'Daar heb je 't alweer!' riep hij. 'Nauwelijks zijn we gewoon en normaal thuis of die Wiplala van ons begint weer! Warempel! Het engeltje van de klok. Wiplala, wat moeten wij met een levend engeltje in huis!'

Wiplala keek met een lachje naar boven; zijn gezichtje stond heel trots.

'Ik kan het nu wel, he?' vroeg hij. 'Ik leer het langzamerhand heel goed, he? Ik kan nu al veel beter tinkelen dan toen ik hier kwam, is het niet?' En hij danste op en neer.

'Je kunt het veel te goed!' schreeuwde meneer Blom. 'Kijk toch 's, wat dat ding allemaal doet!'

Het bleek een heel ondeugend engeltje te zijn. Het vloog naar de openstaande etenskast en smeet achter elkaar vier kopjes en de boter naar beneden. Het wipte even langs de boekenplank en trok een boek uit de rij dat met een klap op de volle fluitketel viel. Een grote puts water golfde over de theetafel. Johannes en Nella Della gilden en lachten en sprongen door de kamer om het stoute kleine engeltje te vangen, maar het ging niet, het was zo vlug, zo vlug. Daar ging de deur open en juffrouw Dingemans stond op de drempel. Ze stond stomverbaasd te kijken. 'Bent u terug?' vroeg ze. 'Bent u weer in uw eigen huis! Wat fijn!' Ze strekte haar hand uit, maar het engeltje kwam aanvliegen en ging op de open palm van die uitgestrekte hand zitten.

Juffrouw Dingemans haalde diep adem, gilde en liet haar hand zakken; het engeltje fladderde plagerig langs haar hoofd.

'Ik zie het al! Het is nog altijd niet pluis hier!' riep juffrouw Dingemans boos en angstig. 'Ik kom weleens terug als alles weer in de haak is, maar niet zolang het hier behekst is!' En ze liep hard de deur uit.

'Zie je?' zei meneer Blom moedeloos. 'Nu is onze hulp weggelopen en we moeten het hele huishouden zelf doen, en dat komt allemaal door dat getinkel van die stoute Wiplala. Pak het engeltje, kinderen!'

De jacht op de engel begon opnieuw. Het kleine wezentje had erg veel plezier in plagen. Het haalde in de vlucht meneer Bloms papieren overhoop, het trok een bloempot van een plank. Toen ging het even op tafel zitten, met zijn voetjes in de slagroom van een taartje. De poes Vlieg werd er zenuwachtig van.

'Nu,' fluisterde Johannes en hij sloop naderbij, zijn zakdoek in de hand om het engeltje daarin te vangen.

Maar juist toen hij vlakbij was, vloog het weer op, het maakte een mooie looping en zweefde toen door het open raam aan de achterkant van het huis naar buiten.

'O pak 'm!' riep Nella Della. 'Pak 'm dan toch! Hij vliegt weg!'

Ze renden naar buiten, de tuin in, om het engeltje terug te halen. Ze zagen dat het in een boom neerstreek, op een van de onderste takken en ze renden naar de boom toe. En juist toen ze hun hand uitstrekten om het te pakken, vloog het engeltje op, strekte zijn vergulde vleugeltjes uit en ging bijna loodrecht omhoog, de lucht in.

In de tuin stonden Nella Della, Johannes en meneer Blom het engeltje na te kijken. Zijn gouden wiekjes blonken in de zon, het ging hoger en hoger, het werd een heel klein stipje, eerst een gouden stipje, toen een donker puntje – weg. Ze zagen niets meer. Het engeltje was weggevlogen.

'Dat arme engeltje,' zei Nella Della. 'Waar zal het terechtkomen?'

'Misschien komt het wel ergens in een lief, klein hemeltje terecht,' zei Johannes vol vertrouwen. 'In een houten hemeltje met vergulde deurtjes.'

Daarover waren ze een beetje getroost.

'Waar staan jullie naar te kijken? Naar een straaljager?'

Ze draaiden zich om en zagen dokter Vink in het tuintje staan. Hij was door het achterhekje gekomen en naast hem stond Lotje.

'Lotje!' riep Nella Della. Het was een heel geestdriftige ontmoeting. De kinderen omhelsden elkaar en praatten allemaal tegelijk en vroegen honderd dingen tegelijk. 'Wat zie je er goed uit, Lotje! Wat ben je gezond en dik!'

'En wat zijn jullie groot geworden!' riep Lotje. En dat was waar, want toen ze elkaar het laatst zagen was Nella Della niet veel groter dan Lotjes wijsvinger.

Ondertussen stond meneer Blom met dokter Vink te praten.

'Hoe is het met de dames Louise en Adèle afgelopen, dokter?' vroeg meneer Blom en hij keek een beetje verlegen, want hij vond het een pijnlijke herinnering.

'O,' zei dokter Vink, en hij keek ook een beetje verlegen, want hij vond toch wel dat hij de dames een beetje voor de gek had gehouden.

'Weet u, ze waren flauwgevallen en toen ze bijkwamen heb ik gezegd dat het allemaal nog kwam van de gebakken lever met uitjes. En ik heb hun beloofd dat ik nog eens terug zou komen.'

'Die arme juffrouw Louise en juffrouw Adèle,' zei Nella Della. 'Ze durven nu nooit meer gebakken lever met uitjes te eten. Maar gaan jullie mee naar binnen, naar de huiskamer? Ik heb net koffie gezet en we hebben er taartjes bij.'

'Zeg, en waar is Wiplala?' vroeg Lotje.

'Binnen,' zei Johannes. 'Die rijdt in een van mijn autootjes. We hebben juist weer zo iets geks beleefd, zeg, hij had weer iets getinkeld. Wiplala, waar ben je?'

Ze gingen het huis binnen en riepen: 'Wiplala!'

'Hij is niet in de huiskamer,' zei Nella Della. 'Wiplala!'

'Ik zal eens boven kijken,' zei Johannes. Ze zochten het hele huis door. Ze werden zenuwachtig en angstig. Nergens was hij te vinden. Lotje en dokter Vink hielpen zoeken en meneer Blom, die toch altijd het ergst mopperde op de stoute Wiplala, zocht nu in alle hoekjes en gaatjes om hem terug te vinden.

'Hij heeft zich vast verstopt, voor de grap,' zei Nella

Della. 'Dat deed hij weleens meer. Hij is zó klein, weet je, hij kan zich in de gekste potjes en pannetjes verstoppen.'

'Zou hij misschien in een van die havermoutbussen zitten?'

'Zoek maar niet meer,' zei meneer Blom. 'Je hoeft niet meer te zoeken, kijk maar eens wat ik vind.'

Hij haalde een vel papier uit de schrijfmachine en liet het hun zien.

Er was een briefje op getypt. Er stond:

Ik kan $% xxx nu goet tinkelen
ikga terug (!£ dag

'Heeft Wiplala dat geschreven? Is dat een briefje van Wiplala? O!' riep Nella Della. 'Hij is terug naar de andere wiplala's! O, wat afschuwelijk! Hij is weg.'

'Door het muizegat in de kast,' schreeuwde Johannes. 'Misschien kunnen we hem nog terugroepen!' Ze deden de kast open. Vlak bij de onderste plank was nog altijd het muizeholletje waardoor Wiplala de eerste keer bij hen was gekomen. Ze staken er hun vinger in, ze riepen: 'Wiplala, Wiplala!'

Maar het bleef stil. Wiplala was weggegaan.

Nella Della ging op de stoel zitten, sloeg haar handen voor haar gezicht en begon te schreien. Johannes huilde niet, maar hij beet op zijn lippen en hij zag er erg ongelukkig uit.

'Hoor eens even,' zei meneer Blom en hij sloeg zijn ene arm om Nella Della en zijn andere om Johannes. 'Luister eens even naar jullie ouwe, domme vader: Wiplala is weggegaan, terug naar zijn eigen land, naar zijn vriend-jes en vriendinnetjes, en ik ben erg blij voor hem.'

'Blij?' snikte Nella Della.

'Ja. Hij is er vast veel gelukkiger dan hier. Hij kan nu erg goed tinkelen, dus ze zullen hem niet meer wegstu-ren. En stel je voor dat hij hier was gebleven, wat dan? Dan hadden wij hem altijd moeten verbergen voor de mensen die hier kwamen. We moesten hem altijd weg-stoppen, want niemand mocht hem zien. En als we met hem uit zouden gaan, moesten we hem altijd in een tas meenemen. Voor hem was dat akelig. En wij weten nu door ervaring hoe akelig het is, als je je altijd moet ver-bergen voor de nieuwsgierige mensen. Als je altijd bang moet zijn om gepakt te worden –, dat is vreselijk!'

'Maar – maar we zullen hem wel erg missen,' zei Nella Della. 'Ik hield ontzettend veel van hem, jij niet Johan-nes?'

'Ontzettend veel,' knikte Johannes.

'Misschien komt hij nog weleens terug,' zei Lotje, die al die tijd had gekeken en stil had geluisterd. 'Misschien komt hij nog weleens een keertje zo maar goeiendag zeg-gen. En dan, je vader heeft gelijk – hij zal het veel pretti-ger hebben in zijn eigen land, met allemaal kleine wiplala's om zich heen.'

'Laten we nu maar die koffie op gaan drinken,' zei me-neer Blom. 'Het is toch in elk geval heerlijk dat Lotje er is. En dat dokter Vink er is.'

Nella Della en Johannes waren een klein beetje ge-troost. En de volgende dag gingen ze naar school en alles werd weer heel normaal. Zo gewoon en zo normaal, dat Nella Della zich soms afvroeg: Was het eigenlijk wel waar? Is er werkelijk ooit een kleine Wiplala bij ons in huis geweest?

Maar een week later, op een ochtend, vond ze in de wingerd de spin. De stenen spin.

'Och – we hebben vergeten hem terug te betinkelen,' zei Nella Della. 'En nu kan het niet meer.' Ze moest eventjes erg huilen. Toen nam ze de spin mee naar binnen en zette hem op een kastje.

JeugdSalamanders van Querido

Voor drie jaar en ouder:

Mies Bouhuys *Tijd voor kattekwaad*
Jean de Brunhoff *Het verhaal van Babar het olifantje · Babar
op reis · Koning Babar · Babar thuis*
Almut en Robert Gernhardt *Wie dit leest is het vierde beest*
Annemie Heymans *Het boek van Saar · Neeltje*
Janosch *Ach mijn lieve hazeboekje · Snoedelboedel bouwt
een huis · Welterusten Snoedelboedel · Snoedelboedel
vangt een haas · Baas Korvers wil klein kipje kussen*
Annie M.G. Schmidt *Het beertje Pippeloentje · Jip en
Janneke, 5 deeltjes*
Tomi Ungerer *De drie rovers*

Voor zes jaar en ouder:

Gerard Brands *Het schaap in de luie stoel · Padden verhuizen
niet graag*
Achim Bröger *Pizza en Oskar op zoek naar Afrika*
Irina Korschunow *Het gevonden vosje · Twee bolle bozen ·
Evert pakt zijn rugzak · Klein Bontje*
Guus Kuijer *Met de poppen gooien · Grote mensen, daar kan
je beter soep van koken · Op je kop in de prullenbak*
Annie M.G. Schmidt *Heksen en zo*
Elisabeth Stiemert *Tamtam in circus Tamtini*
Irmela Wendt *Vijf kleine egeltjes*

Voor tien jaar en ouder:

Aidan Chambers *Het geheim van de grot*
Miep Diekmann *Total Loss, weetjewel*

Guus Kuijer *Krassen in het tafelblad · Een hoofd vol maca-
roni · Drie verschrikkelijke dagen · Pappa is een hond*
Liesbeth van Lennep *Ik heet Kim*
Paul Maar *Zeven dagen Zaterdag · Andere kinderen wonen
ook bij hun ouders*
Mario Puzo *Na elke bocht ontdek je wat*
Johanna Reiss *De schuilplaats · Geen slecht jaar*
Marilyn Sachs *Het berenhuis*

Voor veertien jaar en ouder:

Nina Bawden *Carry's kleine oorlog*
Miep Diekmann *Dan ben je nergens meer*
Anne Fine *Een vreemde vogel in het tuinhuis*
Rindert Kromhout *En Peter was de vlieg*
K. M. Peyton *Jonathan, wat zag je in die zomernacht?*

Informatieboekje over de JeugdSalamanders: *Even met de
kont op reis.* Avonturen met kinderboeken

Werk van Annie M.G.Schmidt

Het fluitketeltje (versjes, 1952) 5+

Veertien uilen (versjes, 1952) 5+

De toren van Bemmelekom (versjes, 1953) 5+

Abeltje (1953) 8+

Jip en Janneke (verhaaltjes, 5 delen, 1953-1960) 5+

De lapjeskat (versjes, 1954) 5+

Ik ben lekker stout (versjes, 1955) 5+

De A van Abeltje (1955) 8+

Op visite bij de reus (versjes, 1956) 5+

De graaf van Weet-ik-veel (versjes, 1957) 5+

Wiplala (1957) 8+

Het beertje Pippeloentje (versjes) 3+

Iedereen heeft een staart (versjes, 1959) 5+

Dag, meneer de kruidenier (versjes, 1960) 5+

Het hele schaap Veronica (versjes, 1960) 7+

Wiplala weer (1962) 8+

Heksen en zo (sprookjes, 1964)

Minoes (1970, Zilveren Griffel 1971) 8+

Pluk van de Petteflet (1971, Zilveren Griffel 1972) 4+

Floddertje (1973) 4+

Waaidorp (leesboek, 2 delen, 1972-1979) 6+

Niet met de deuren slaan (versjes, 1979) 5+

Otje (1980, Gouden Griffel 1981) 7+

Een visje bij de thee (bloemlezing, verhalen en versjes, 1983)